SZCZYTY ŚWIATA

Wydawnictwo Arkady

Spis treści

Teksty
Stefano Ardito

Dyrektor wydawniczy
Valeria Manferto De Fabianis

Koordynacja redakcyjna
Laura Accomazzo

Projekt graficzny
Paola Piacco

Układ graficzny
Cristina Ansaldi

Tytuł oryginału:
Extreme Altitude. The Worlds Greates Mountains

Tłumaczenie: Krzysztof Wojciechowski
Redakcja: Danuta Rybak
Korekta: Anna Kłosińska

ISBN 978-83-213-4555-0

CIP – Biblioteka Narodowa
Ardito, Stefano
Szczyty świata / [teksty Stefano Ardito ; tł. Krzysztof Wojciechowski]. – Warszawa : Wydawnictwo „Arkady", 2008

Wydawnictwo „Arkady" Sp. z o.o.
00-344 Warszawa, ul. Dobra 28
tel. 022-635-83-44, fax 022-827-41-94
e-mail: info@arkady.com.pl
internet: www.arkady.com.pl
księgarnia wysyłkowa: 022-826-70-79
księgarnia firmowa: 022-828-40-20
Wydanie I, 2008. Symbol 3767/R
Wydrukowano w Indonezji

WSTĘP

Od jak dawna ludzie kochają góry? Alpinizm, sztuka wspinania się na górskie szczyty dla przyjemności, pokonywania trudnych przejść pokrytych śniegiem i lodem, narodziła się latem 1786 roku, kiedy Jacques Balmat i Michel-Gabriel Paccard, mieszkańcy Chamonix i poddani króla Sardynii, wspięli się na szczyt Mont Blanc. To trudne wejście, najeżone niebezpieczeństwami, oficjalnie zostało podjęte w imię nauki – termometr Paccarda pokazał temperaturę 18,5 °F (–15 °C), a barometr wysokość 4998 m nad poziomem morza zamiast rzeczywistej wysokości 4807 m – chociaż ci dwaj mężczyźni działali jak prawdziwi poszukiwacze przygód.

Podbój „Dachu Europy" odbił się echem po całym kontynencie dzięki pismom Horace-Benedicta de Saussure, bogatego dżentelmena z Genewy, który był inspiratorem wspinaczki. Po przywróceniu spokoju po rewolucji francuskiej i wojnach napoleońskich, Alpy i ich lodowce stały się popularnym przystankiem dla podróżników odbywających Wielką Wędrówkę. Pasmo górskie łączące Niceę z Wiedniem stało się dla swoich najzagorzalszych zwolenników najlepszym placem zabaw w Europie. Zaczęli Brytyjczycy, do których później dołączyli Europejczycy z kontynentu. Do tych entuzjastów należał Leslie Stephen, jeden z pierwszych prezesów Brytyjskiego Klubu Alpejskiego.

Jednak przez ponad dwieście lat, jakie minęły od czekanów i naukowych narzędzi Paccarda i Balmata, ludzie zaczeli zastanawiać się, czy wejście dwóch dzielnych mężczyzn z Chamonix oznaczało prawdziwe narodziny alpinizmu. Rzeczywiście, przed wieloma stuleciami ludzie tak wykształceni, jak Petrarka (i być może cesarz rzymski Hadrian) wspinali się na szczyty gór, by z tej perspektywy rozmyślać o człowieku i świecie.

W 1493 roku grupa żołnierzy francuskich prowadzona przez Antoine'a de Ville zdobyła skalistą wieżę Mont Aiguille w paśmie Vercors, pokonując skalną ścianę o znacznej trudności. I podczas gdy górskim wędrówkom Petrarki mogło brakować technicznej trudności, to wspinaczka francuskiej grupy pozbawiona była „czystego" motywu. Antoine de Ville i jego towarzysze nie wspinali się na nagą skałę dla przyjemności, tylko wypełniali posłusznie rozkaz króla Karola VIII.

Takie rozważania mogą wydawać się jałowe i tak jest do pewnego stopnia. Jednak odkrywanie Alp i innych pasm górskich w Europie (Pirenejów i Tatr, szczytów Szkocji i Skandynawii, Apeninów i gór Bałkanów) jako niezwykłego miejsca spędzania wolnego czasu rozpoczęło się od wejścia Paccarda i Balmata. Obecnie miliony amatorów wspinaczki i białego szaleństwa udają się w góry o każdej porze roku wyposażeni w buty turystyczne, liny lub narty. Zermatt, Chamonix, Garmisch-Partenkirchen i Cortina przekształciły się z sennych rolniczych wiosek w najbardziej ekskluzywne miejsca wypoczynku w Europie.

Człowiek nie odkrył jednak gór dla rekreacji. W lecie 1991 roku wiadomość o znalezieniu Ötzi – „człowieka lodu" z epoki brązu, który umarł 5000 lat temu na grani oddzielającej obecnie Włochy od Austrii, pojawiła się w czołówkach wszystkich gazet, zwracając uwagę na fakt, który od dawna był znany archeologom. W rzeczywistości ludzie przebywali w Alpach od czasów prehistorycznych osiedlając się w dolinach jak tylko ustąpienie lodowców epoki czwartorzędu pozwoliło na pojawienie się pastwisk i lasów na wyższych poziomach.

Wyposażenie Ötzi'ego (skórzane odzienie i buty wyścielane sianem, krzemienny sztylet i miedziana siekierka, łuk i kołczan z 14 strzałami, plecak z kory zawierający kawałki węgla drzewnego i kawałek mięsa koziorożca) pokazuje jak nasi przodkowie potrafili wykorzystywać naturalne zasoby, by móc względnie bezpiecznie przebywać na dużych wysokościach.

A jak to wyglądało w innych rejonach świata? Tak szybko, jak tylko pozwolił na to klimat, mieszkańcy gór Azji zaczęli uprawiać glebę wysoko położonych dolin i wypasać swoją trzodę na wysokościach sięgających 5000 m, przekraczając przełęcze Himalajów i Karakorum w karawanach koni, mułów i jaków wiozących towary na wymianę do miast Indii i Chin,Tybetu i królestw środkowej Azji.

Podobny scenariusz był realizowany po drugiej stronie globu, w Andach i innych pasmach górskich Ameryki Południowej. Kiedy w 1520 roku konkwistador Hernán Cortés posłał swoich żołnierzy na szczyt Popocatépetl, drugi pod względem wysokości wulkan Meksyku, zrobił to częściowo po to, by wykazać tubylcom wyższość odwagę i Europejczyków. W rzeczywistości ludzie zamieszkujący okoliczne doliny wchodzili na znajdujący się na wysokości 5465 m szczyt już od niepamiętnych czasów. Co więcej, na górze Aconacauga (5502 m) znaleziono zmumifikowane ciało chłopca złożonego w ofierze bóstwom gór.

Jednak nie tylko Andy przepojone były obecnością gór. Przez tysiące lat ludzie wyznający różne religie na całym świecie utożsamiali wielkie struktury z lodu i skał ze schodami prowadzącymi do nieba. Bóg Izraela osadził arkę Noego na szczycie góry Ararat i rozkazał Mojżeszowi, by wspiął się na górę Synaj po dziesięcioro przykazań, starożytni Grecy zaś wierzyli, że ich bogowie zamieszkują szczyt Olimpu, z którego rozciąga się widok na Morze Egejskie.

W Azji do świętych gór należą wulkany Indonezji, góra Fudżi w Japonii i Kinabalu w dżungli Borneo. Góra Kailas, piramida skał i lodu górująca nad Płaskowyżem Tybetańskim jest uznana przez buddystów, hinduistów, dżinistów i wyznawców starożytnej religii bon za środek świata. Dziesiątki szczytów Himalajów, łącznie z Annapurną i Mount Everestem, uważanych jest również za święte. Na całym subkontynencie indyjskim, aż do skwarnej Sri Lanki i Kerali, kopuły setek i tysięcy świątyń wznoszą się ku niebu, naśladując odległe góry.

Jednak w ubiegłym stuleciu nadrzędna stała się inna przyczyna zainteresowania człowieka górami – ochrona. Góry, od dawna znane podróżnikom i naukowcom ze swojej niezwykłej fauny i flory i czczone jako miejsce, w którym rzeki rozpoczynają swoją długą drogę do morza (Indus, Brahmaputra, Jarnali i Sutlej – wszystkie mają swoje źródła w okolicy góry Kailas), coraz bardziej są cenione przez ludzi w miarę, jak zaczęli oni odkrywać ich przyrodniczą wartość.

Wysiłki, by chronić góry naszej planety objęły prawie wszystkie regiony świata od czasu, gdy pod koniec XIX wieku John Muir zapewnił w Stanach Zjednoczonych ochronę granitowych ścian Yosemite, głębin Wielkiego Kanionu i Lasu Sekwojowego. Chociaż drogi, trasy narciarskie i anteny nadal wkraczają na nowe obszary, to obecnie prawie wszystkie największe i najpiękniejsze szczyty znajdują się pod ochroną. I choć Mont Blanc pozostaje tutaj zaskakującym wyjątkiem, to programem ochrony wspaniałych parków narodowych objęte są Annapurna, Mount Everest, Kilimandżaro, Mount McKinley, Cerro Torre i Góra Cooka.

Zadaniem parków narodowych jest ochrona niedźwiedzi, śnieżnych lampartów i koziorożców, nadzór nad wyprawami wysokogórskimi i ruchem turystycznym oraz rozszerzanie naszej wiedzy o świecie dzięki pracom zoologów, botaników, glacjologów i geologów. Obszary te zapewniają również czystość wody, którą pijemy. Pozwalają, by po zaledwie kilku godzinach podróży, opuściwszy nasze zatłoczone miasta doświadczyć piękna, przygody i dotknąć tajemnicy. Ochrona dzikich gór ma znaczenie dla wszystkich mieszkańców Ziemi i jest naszym obowiązkiem wobec przyszłych pokoleń.

---

1. Widok Machapuchare (znanej również jako Rybi Ogon, 6993 m) od strony zachodniej, z Nepalu.

2–3. Mont Maudit (4465 m) i Mont Blanc (4807 m), Włochy–Francja.

4–5. Szczyt Fitz Roy (z prawej, 3375 m) i jezioro Viedma, Argentyna.

6. Mount Everest (8850 m) i lodowiec Khumbu, Nepal–Chiny.

7. Point John (4483 m), w grupie góry Kenia, Kenia.

9. El Capitan (2307 m) i rzeka Merced, Kalifornia, Stany Zjednoczone.

10. Wierzchołek szczytu K2 (8611 m), Chiny–Pakistan.

11. Sassolungo (3181 m), Trydent–Górna Adyga, Włochy.

12–13. Mount Everest (z lewej) i Nuptse (Nupce, 7861 m), Chiny–Nepal.

14–15. Mount McKinley (6194 m), Alaska, Stany Zjednoczone.

EUROPA

Najsłynniejsze i najczęściej odwiedzane pasmo górskie wznosi się w sercu Europy. Żadne góry na świecie nie mają tak urozmaiconych szczytów jak Alpy, gdzie obok siebie wznoszą się takie góry, jak Mont Blanc i Matterhorn, Tre Cime di Lavaredo i Sassolungo, masywy Vajolet i Triglav, Piz Badile i Barre des Écrins.

Gnejs, granit, dolomit i wapień występują na zmianę co kilka kilometrów, tworząc niezwykłe formacje skalnej, ciągnące się przez 1200 km od Nicei po Wiedeń. Szczyty i ściany skalne otaczają gęsto zamieszkałe doliny, bujne lasy i ogromne lodowce (obecnie cofające się, tak jak wszystkie lodowce na świecie) Alp Berneńskich, Monte Rosa i innych alpejskich „małych Himalajów".

Przełęcze łączące doliny Francji, Włoch, Szwajcarii, Austrii, Niemiec i Słowenii, rozciągające się u stóp wielkich gór, gościły ludzi od niepamiętnych czasów. Jednak w Alpach można natrafić na ślady obecności człowieka na wyższych wysokościach. Kłusownicy, przemytnicy i poszukiwacze kryształów od wieków wybierali się w góry. W ciągu ostatnich 200 lat każda grań, ściana skalna i ośnieżony wąwóz były świadkami przygód, wysiłków i czasami tragedii.

Alpy nie są jednak jedynymi górami w Europie. Od oblodzonych szczytów Alp Norweskich i szkockich Highlands, zalanych słońcem szczytów Olimpu i Sierra Nevada, inne imponujące systemy górskie przecinają kontynent we wszystkich kierunkach. Na południu Etna, Wezuwiusz i inne włoskie wulkany górują nad Morzem Śródziemnym, najdziksze zaś obszary Picos de Europa, Pirenejów, Apeninów, Bałkanów i Tatr rywalizują z Alpami.

W każdy weekend miliony Europejczyków udają się w góry w poszukiwaniu przygody i okazji do uprawiania sportów. Szlaki turystyczne i narciarskie, skalne ściany i potoki są idealnym miejscem na odnowienie sił fizycznych i duchowych po tygodniu ciężkiej pracy. Ponieważ Europa jest kontynentem przeludnionym, to za pasję tę trzeba często płacić staniem w długich korkach podczas podróży w jedną i drugą stronę.

Nasze wielkie europejskie góry są nie tylko miejscem wypoczynku. Monte Ortles, Triglav, La Meije, Gran Paradiso, Grossglockner i wiele innych imponujących szczytów góruje nad największymi i najważniejszymi obszarami chronionymi Europy. W otoczeniu lodowców i skał, wysokogórskich pastwisk i lasów zamieszkują niedźwiedzie, koziorożce, kozice, orły i sępy. Również u stóp niechronionych masywów, takich jak Mont Blanc i Matterhorn rosną i żyją rzadkie gatunki flory i fauny. Naturalne środowisko Europy nadal trwa wokół najwyższych szczytów kontynentu.

16 z lewej. W Alpach Berneńskich wznosi się samotna piramida Bietshornu (3934 m).

16 pośrodku. Grupa alpinistów z linami zbliża się do Barre des Écrins (4105 m) we Francji.

16 z prawej. Lita ściana Trollveggen w Norwegii sięga wysokości 1787 m.

17. W zimie Dolomity Brenta w regionie trydenckim stają się ośnieżoną krainą cudów.

Ben Nevis

WIELKA BRYTANIA

W Alpach, nie wspominając już o Himalajach, Ben Nevis wyglądałby jak większe wzgórze. Jednak ten najwyższy na Wyspach Brytyjskich szczyt, sięgający zaledwie 1343 m nad poziom morza, osłonięty od północnego wschodu okazałą stromą ścianą z wulkanicznej skały, jest prawdziwą górą, na którą każdego lata mozolnie wchodzą tysiące turystów po ścieżce, której początek znajduje się prawie na poziomie morza niedaleko od Fort William.

Alpiniści brytyjscy od XIX wieku czuli się jak w domu wśród szkockich szczytów i jezior i wyznaczyli na ścianach Ben Nevis dziesiątki szlaków o różnych stopniach trudności. Podczas gdy osiągnięcie wielkich grani góry (w szczególności Tower Ridge) można określić jako średnio trudne, to szczeliny, przepaście i płyty skalne Carn Dearg, 259-metrowej grani bocznej, stawiają przed wspinaczami wielkie a nawet skrajnie trudne wymagania.

Zima nadaje Ben Nevis bardzo surowy charakter. Występujące w Highlands na zmianę deszcze znad Atlantyku i mroźne wiatry północne gwałtownie zamieniające deszcz w śnieg a śnieg w lód powodują, że od listopada do kwietnia granie i ściany skalne pokrywa gruba warstwa lodu. Zimowe wejścia na Ben Nevis, których dokonywano od końca XIX wieku, kiedy to Harold Reaburn przetarł szlaki znacznie trudniejsze od współczesnych szlaków na Mont Blanc, nadal należą do najważniejszych na świecie.

Pierwszych wejść na niemal prostopadłe oblodzone żleby, takie jak Zero Gully i Point Five Gully dokonano w latach 50. XX wieku, natomiast od lat 60. opracowywano tutaj sprzęt wykorzystywany przy pionowym wspinaniu się po lodzie (sztywne raki i krótkie czekany do lodu z ząbkowanymi dziobami). W ostatnich latach najlepsi alpiniści specjalizujący się we wspinaczce lodowej skoncentrowali się na ryzykownych wejściach po ścianach skalnych pokrytych cienką skorupą lodu nie pozwalającą na zastosowanie zabezpieczeń.

Od lat 70. minionego wieku wielu najlepszych wspinaczy z krajów alpejskich spędza zimy w Szkocji, wspinając się na granie, żleby i oblodzone płyty Ben Nevis. Nie trzeba jednak być alpinistą, by móc podziwiać urok tego smaganego wiatrami miejsca. Chociaż normalna droga jest w słoneczne dni zatłoczona, to długa trasa prowadząca do szczytu poprzez małe schronisko poświęcone Charlesowi Inglis Clarkowi (nazywane przez miejscowych chatą CIC) ciągnie się przez obszary dzikie i opustoszałe. Wszedłszy na wierzchołek można podziwiać szczyty, pasma górskie, jeziora i doliny prawie całkowicie pozbawione śladów obecności ludzkiej. Highlands wokół Ben Nevis należą rzeczywiście do jednych z ostatnich wielkich obszarów dzikiej przyrody w Europie.

18 u góry. W środkowej części północnej ściany Ben Nevis przetarto wiele zimowych szlaków przez kotlinę Coire na Ciste. Charakterystyczną sylwetkę Tower Ridge widać w środku zdjęcia, ponad śnieżnymi wirami smagającymi szczytowy płaskowyż góry.

18 u dołu. Żleby otaczające Ben Nevis i inne smagane wiatrami najwyższe szczyty Szkocji są opustoszałe nawet podczas najcieplejszych tygodni lata, ale warunki stają się szczególnie surowe, kiedy deszcze z zachodu i przenikliwie mroźne wiatry północne pokrywają je warstwą śniegu i lodu.

18–19. Nawet w zimie poranne światło dociera do Tower Ridge i Great Tower (na zdjęciu u góry z lewej). U dołu z prawej widać skalisty filar Carn Dearg, przez który przetarto kilka niezwykle trudnych dróg.

20–21. Alpinista wchodzi na jedną ze śnieżnych i lodowo-skalnych grani północno-zachodniej ściany Ben Nevis. Od lat 60. XX wieku opracowywano tu specjalistyczny sprzęt do wspinaczki pionowej (sztywne raki i krótkie czekany do lodu z ząbkowanymi dziobami pozwalające na poruszanie się w tym trudnym terenie).

20 u dołu. Do północnej ściany Ben Nevis dociera się z miasta Fort William, po długiej i krętej ścieżce Allt a'Mhuilin, która często pokryta jest śniegiem nawet na bardzo niskich wysokościach. Mała chata nazwana na cześć Charlesa Inglis Clarka stoi u podnóża skalnej ściany.

Ben Nevis

21 u góry. Alpiniści na całym świecie używają terminu „wspinaczka mikstowa w stylu szkockim" do opisania bardzo stromych lub pionowych wejść po lodzie bądź powierzchni lodowo-skalnej przy smagających zamieciach i słabych możliwościach zakotwiczenia się. Takie warunki bardzo często panują na Ben Nevis.

21 u dołu. Dotarcie na Tower Ridge, zdobytego w 1894 roku przez wyposażoną w liny wyprawę, w której uczestniczyli Norman Collie, Joseph Collier i Godfrey Solly, wymaga długiej wspinaczki o średnim stopniu trudności. W zimie szlak prowadzi po lodzie i odcinkach lodowo-skalnych. Alpinista na zdjęciu zmaga się z Great Tower, najtrudniejszym odcinkiem szlaku.

22–23 i 23. Śnieg i chmury nadają surowemu krajobrazowi Trolltind (u góry) i doliny Romsdal (z prawej) prawie bajkowy wygląd.

22 u dołu. Nieprzystępne ściany skał gnejsowych regionu Møre og Romsdal ciągle stanowią wyzwanie dla alpinistów.

24–25. Budzący grozę wygląd Trollveggen usprawiedliwia jej nazwę oznaczającą „ścianę trolli", która miała stanowić granicę terytorium zamieszkiwanego przez te potwory stworzone przez skandynawski folklor.

Store Trolltind i Trollryggen

NORWEGIA

Niewiele krajów europejskich jest w takim stopniu pokrytych górami jak Norwegia. Pasmo górskie ciągnące się w kierunku północ-południe przez około 1610 km tworzy rodzaj kręgosłupa i zaczynając od Bergen obejmuje gigantyczne lodowce w głębi lądu, wznosi się nad wspaniałymi granitowymi ścianami fiordów Morza Północnego i wyłania się za morzem w postaci stromych ścian wysp Lofotów, bardzo popularnych wśród dzisiejszych alpinistów.

Jednak najwyższa ściana Alp Norweskich wznosi się nad zieloną doliną Romsdal, kilka kilometrów w głąb lądu w połowie drogi między Trondheim i Bergen. Chociaż jej szczyty nie są szczególnie wysokie – 1788 m w przypadku Store Trolltind i 1742 m w przypadku Trollryggen – to niskie wzniesienie nad poziom morza dna doliny oznacza, że północno-wschodnia ściana tych szczytów, słynna Trollveggen („ściana trolli") osiąga w prawie wszystkich swoich punktach wysokość ponad 1000 m.

Główne szczyty tego obszaru zostały zdobyte już pod koniec XIX wieku, ale wejść tych dokonano po łatwej ścianie wznoszącej się nad wodospadami Stigfoss. Pierwszym, kto pokonał wielkie gnejsowe płyty Trollveggen był Arne Randers Heen, ojciec alpinizmu norweskiego, który w 1931 roku przetarł szlak na ścianie Store Trolltind. Dwadzieścia siedem lat później ten sam człowiek razem z Ralphem Høibakkiem wszedł na wschodnią boczną grań Trollryggen stanowiącą lewe zakończenie ściany. Jej wysokość wynosząca 1300 m i trudność oceniana na VI stopień sprawiły, że ten wyczyn został uznany za moment przełomowy dla nowoczesnego alpinizmu skandynawskiego.

W latach 60. XX wieku ściana górująca nad doliną Romsdal stała się popularnym miejscem wspinaczek wśród alpinistów Europy. W 1965 roku, kiedy L.N. Patterson, O. Eliassen, O.D. Enerson i J. Teigland otworzyli pierwszą trasę przez środek ściany (Droga Norweska), wyprawa brytyjska dokonała pierwszego wejścia przez pobliską Drogę Rimmona. W 1972 roku bracia Drummond wspięli się w ciągu 20 dni na ścianę Arch Wall, na której występują odcinki bardzo skomplikowanej wspinaczki hakowej.

Francuskie, czeskie, szwedzkie i hiszpańskie zespoły zostawiały na tych skałach swoje ślady, a w 1980 roku włoski alpinista Franco Perlotto dokonał pierwszego solowego wejścia na wschodni filar Trollryggen. To jednak przede wszystkim Norwegowie wspinają się na tę ścianę, kiedy Trollveggen staje się pionową taflą lodu.

Naranjo de Bulnes

HISZPANIA

Jeden z najbardziej widowiskowych masywów Europy wznosi się w sercu Asturii w północnej Hiszpanii. Szczyty Picos de Europa, wystawione na działanie deszczy znad oddalonego o 16 km Atlantyku, tworzą zbudowane z wapienia pasmo podziurawione grotami, kotlinami (zagłębieniami o kształtach półksiężyca lub płytkimi, przypominającymi kaldery) i zapadliskami, pocięte ogromnymi kanionami, takimi jak Gargantua Divina. Chociaż krajobrazy na ogół mają charakter śródziemnomorski, to szczyty i doliny często spowite są morską mgłą utrudniającą wędrowcom orientację.

Góry Picos, znajdujące się na terenie jednego z parków narodowych Hiszpanii, zamieszkują kozice, dwa gatunki sępów – sęp płowy i ostrosęp brodaty, orzeł przedni, sokół wędrowny i wspaniały puchacz, największy nocny drapieżnik Europy. Innymi interesującymi dla naukowców gatunkami są dzikie koniki znane pod miejscową nazwą *asturcón* i desman pirenejski, zamieszkujący lasy mały płochliwy owadożerca należący do rodziny kretowatych.

Torre de Cerredo (2648 m) jest najwyższym szczytem Picos, ale najbardziej elegancką i najsłynniejszą górą tego pasma jest Naranjo de Bulnes (2519 m), uważana przez alpinistów Półwyspu Iberyjskiego za najbardziej prestiżowy szczyt. Ściany góry Naranjo („Pomarańczy"), południowa i zachodnia, pionowe, ukształtowane z niezwykle mocnego wapienia, są poprzecinane dziesiątkami tras i od dawna stanowią teren ćwiczeń hiszpańskich wspinaczy. Rzeczywiście, prawie wszyscy najlepsi alpiniści iberyjscy pozostawili swoje ślady na tych skałach. Wśród nich znajdują się Aragończycy Ernesto Navarro i Alberto Rabadá, którzy zdobyli w 1962 roku zachodnią ścianę Naranjo i zginęli później tragicznie na Eigerze, César Pérez de Tudela i jego koledzy, którzy dokonali pierwszego wejścia na ścianę zachodnią (1973) i bracia Murcian: José Luis i Miguel Angel Gallego, którzy wspięli się na najbardziej wystającą część ściany zachodniej w 1983 roku bez stosowania haków. Ich trasa, nazwana *Sueños de Invierno*, wymagała przebywania na skalnej ścianie przez 69 dni.

Pierwsze wejścia na Naranjo w 1904 roku po trudnej ścianie północno-zachodniej oznaczały narodziny iberyjskiego alpinizmu. Dokonali tego Don Pedro Pidal, markiz Villaviciosa de Asturias oraz przewodnik Gregorio Pérez. Markiz zapisał w swoim dzienniku przed podjęciem próby wejścia: „Jakże zawstydzające byłoby dla mnie i moich rodaków, gdyby pewnego dnia na Naranjo de Bulnes, moim ulubionym terenie polowań na kozice, zatknęli swoją flagę wspinacze z zagranicy!"

26. Śnieg zalega na zwróconej ku Atlantykowi postrzępionej północnej stronie Gór Kantabryjskich.

27. Naranjo de Bulnes wznosi się na wysokość 2519 m w sercu pasma Picos de Europa i jest uważany przez alpinistów iberyjskich za najbardziej prestiżowy szczyt. Pierwszego wejścia na tę górę dokonano w 1904 roku.

Naranjo de Bulnes

28 u góry. Picos de Europa na tle jeziora Ercina w Parku Narodowym noszącym nazwę tego pasma górskiego.

28 u dołu. Piękny widok zachodniej ściany Naranjo de Bulnes, wznoszącej się stromo przez 500 m, po raz pierwszy pokonanej w 1961 roku przez aragońskich alpinistów Rabadá i Navarro.

29. Ukształtowany z wapienia szczyt Naranjo de Bulnes doznał silnej erozji wskutek działania lodowców, które już dawno znikły. Początki tej góry sięgają ery paleozoicznej, zanim Półwysep Iberyjski zderzył się z płytą afrykańską. Wydaje się, że nazwa góry odnosi się do pomarańczowego odcienia skały.

EUROPA

Barre des Écrins i La Meije

FRANCJA

Jeden z najdzikszych masywów lodowych w Alpach znajduje się całkowicie na terytorium Francji, między doliną Rodanu a granicą włoską. Pustkowie Oisans obejmuje około 50 lodowców i dziesiątki wspaniałych szczytów o wysokości przekraczającej 3000 m. Na tym obszarze, znajdującym się na terenie ustanowionego w 1973 roku Parku Narodowego Écrins o powierzchni 917 km^2, żyją tysiące kozic, kilkaset koziorożców i 40 par orłów przednich. Ostatnio na teren masywu powróciły również wilki i ostrosęp brodaty.

Dwa spośród interesujących dla alpinistów szczytów (w tym Pelvoux, Aiguille Dibona, Ailefroide i Olan) są klasą samą w sobie. Pierwszy z nich to Barre des Écrins, najdalej na południe wysunięty szczyt Alp wysokości ponad 3962 m, wznoszący się na 4105 m ponad lodowiec Blanc i głęboką dolinę Vallouise. W 1864 roku Edward Whynper – przyszły zdobywca Matterhornu – po dokonaniu swojego pierwszego wejścia na Barre des Écrins z przewodnikami Michelem Croz i Christianem Almerem zauważył, że nigdzie indziej góry nie przybierają tak śmiałych form i zwrócił również uwagę na rozległą panoramę, którą podziwiał ze szczytu.

Ostatni odcinek trasy na najwyższy szczyt Oisans, chociaż łatwy i często odwiedzany na wiosnę przez setki narciarzy-zjazdowców aż do Dôme de Neige (4015 m), jest niebezpieczną, wzbijającą się wysoko w niebo granią. Kruchość skały sprawia, że inne trasy na szczyt góry nie nadają się do

30 u góry. Północna ściana Barre des Écrins, najbardziej na południe położonego alpejskiego czterotysięcznika, jest pokryta lodem, a jego ściana zachodnia wznosi się nad wioską La Bérarde i doliną Vénéon, schodzącą ku Bourg-d'Oisans i Grenoble.

30 u dołu. Okazałą północną ścianę Barre des Écrins widać w tle tego zdjęcia (z prawej), wykonanego ze schroniska des Écrins.

31. Z trasy Roche Faurio, górującej od północnej strony nad lodowcem des Écrins, widać północną ścianę Barre des Écrins, wznoszącą się nad ogromnymi serakami.

Barre des Écrins i La Meije

wykorzystania, z wyjątkiem Południowego Filaru, gdyż wymaga to bardzo trudnej wspinaczki na wysokość ponad 1000 metrów.

Ogromna ściana skalna La Meije stanowi granicę masywu od strony północnej, której kulminacją jest Grand Pic (3982 m) górujący nad wioską La Grave. Jest on wyraźnie widoczny z drogi biegnącej między Grenoble a Briançon. Był jednym z najpóźniej zdobytych wielkich szczytów Alp. Wejścia nań dokonała składająca się z samych Francuzów wyprawa kierowana przez Emmanuela Boileau de Castelnau i przewodników – ojca i syna Pierre'ów Gaspardów.

Po tym wyczynie przetarto około pięćdziesięciu coraz trudniejszych tras biegnących w malowniczej scenerii. Chociaż alpiniści austriaccy, Ludwig Purthscheller oraz Otto i Emil Zsigmondy'owie, dokonali przejścia grani w 1885 roku, a wielki przewodnik z Cortiny Angelo Dibon wyznaczył ważną drogę w 1912 roku, to pozostałą historię wspinania się na tę górę stworzyli niemal wyłącznie alpiniści francuscy. Znajdowali się wśród nich paryżanie Pierre Allain i Raymond Leninger, którzy zdobyli południową ścianę Grand Pic w 1935 roku, pokonując niezwykle imponującą ścianę skalną wyjątkowo elegancką trasą.

32 u góry. Parku Narodowy Écrins jest położony na wysokości między 800 a 4100 m.

32 u dołu. Olan (3547 m), góra dominująca nad Valgaudemar, jest w zimie jeszcze bardziej groźna. Jej północną ścianę pokonali w 1934 roku Giusto Gervasutti i Lucien Devies.

32–33. Odizolowana niecka Basin Champsaur, otoczona zaokrąglonymi i względnie łagodnymi górami, stanowi południowo-zachodnią granicę Parku Narodowego Écrins, obejmującego powierzchnię 917 km^2. Na tym obszarze, znanym ze wspaniałych pastwisk, ponownie wprowadzono wilki.

33 u dołu. Cały masyw La Meije, razem z lodowcami Tabuchet, Meije i Rateau, widać w tle tego zdjęcia, wykonanego z brzegów jeziora Lérié na płaskowyżu Emparis. Ta sugestywna fotografia pokazuje, że znad jeziora rozlega się jeden z najwspanialszych widoków północnej ściany masywu Écrins.

34–35. Kulminacją okazałej południowej ściany La Meije, wznoszącej się nad lodowcem Étançons, są Grand Pic (z lewej), Doigt de Dieu i La Meije Orientale. Schronisko du Promontoire, widoczne w cieniu w dolnej lewej części zdjęcia, stanowi bazę dla około 30 tras, z których większość jest bardzo trudna.

36 u góry. Mer de Glace, jeden z najdłuższych lodowców w Alpach, spływa wijąc się w stronę doliny Arve i Chamonix. Dent du Géant, Col du Géant i Mont Blanc wyróżniają się z tła. Mer de Glace, spływając na wschód, zlewa się z lodowcem Leschaux (z lewej).

36–37. Lotnicze zdjęcie pokazuje wielkie szczeliny Valée Blanche, która rozciąga się od najwyższych obszarów masywu do Mer de Glace i Chamonix. Mont Blanc (z lewej), ośnieżony Dôme du Goûter i spiczasty Aiguille du Midi wznoszą się w tle.

Mont Blanc

WŁOCHY–FRANCJA

Czar olbrzyma trwa nadal. Mont Blanc, znajdujący się w północno-zachodnim krańcu Alp w miejscu spotkania włoskiej Val d'Aosta, francuskiej Górnej Sabaudii i szwajcarskiego kantonu Valais, jest najwyższą i najwspanialszą górą Europy. Granitowe ściany, lodowce przypominające te z Himalajów, potoki, lasy świerkowe, chaty i łąki świadczące o trwającym od pradawnych czasów wysiłku człowieka, tworzą krajobraz, który podziwiają od dwóch stuleci podróżnicy i alpiniści.

Mont Blanc, stanowiący dach masywu o tej samej nazwie, wieńczy śnieżna kopuła, która wskutek topnienia lodu co roku zaostrza się. Otacza go 26 innych szczytów wysokości ponad 4000 m, które cieszą się sławą wśród alpinistów z całego świata ze względu na możliwości wspinaczkowe. Aiguille de Bionnassay, Mont Maudit, Dent du Géant i Grandes Jorasses znajdują się na grani stanowiącej granicę między Francją a Włochami, Aiguille Blanche de Peuterey zaś znajduje się całkowicie na terytorium włoskim, a Mont Blanc du Tacul i Aiguille Verte w całości we Francji. Jednak w tym pustkowiu natury, gdzie człowiek często czuje się jak intruz, pojęcie granic ma niewielkie znaczenie.

Epopeja Mont Blanc rozpoczęła się 8 sierpnia 1786 roku, kiedy to dwóch ludzi po raz pierwszy weszło na jego szczyt. Poszukiwacz kryształów Jacques Balmat i lekarz Michel-Gabriel Paccard z Chamonix, które stanowiło wówczas część królestwa Sardynii, zdobyli szczyt późnym popołudniem, idąc przez lasy Montagne de la Côte i zdradliwe lodowce północnej ściany Mont Blanc. Ich wyczyn był naprawdę wyjątkowy, wziąwszy pod uwagę, że nie mieli lin, raków i czekanów.

Historycy uznają wejście Paccarda i Balmata za narodziny alpinizmu. Droga, którą rok później ich śladem poszedł Horace-Bénédict de Saussure z osiemnastoma przewodnikami i tragarzami, stała się popularna w latach przywrócenia pokoju w Europie po bitwie pod Waterloo. Systematyczne zdobywanie szczytów i pokonywanie ścian masywu rozpoczęło się w drugiej połowie XIX wieku, kiedy przetarto trasy na szczyt Mont Blanc również od stron St.-Gervais i Courmayeur.

Punkt zwrotny nastąpił w 1865 roku, kiedy brytyjscy alpiniści G.S. Matthews, A.W. Moore oraz F. i H. Walkerowie z przewodnikami Jakobem i Melchiorem Andreggami wspięli się na niezwykle strome, oblodzone zbocze grani Brenva. Około 1880 roku na Mont Blanc rozpoczęto również wspinaczkę naskalną, co umożliwiło zdobycie Aiguille du Dru, Dent de Géant i Aiguille du Grépan. Główny szczyt był sceną wejść po wielkich śnieżnych i skalnych graniach, poczynając od Peuterey, na którą w 1893 roku wspięła się grupa kierowana przez przewodnika Emile'a Reya.

W latach międzywojennych nowe pokolenie alpinistów, wyszkolone na wapiennych ścianach Dolomitów i Prealp, pokonało największe ściany skalne masywu, między innymi

północną ścianę Aiguille Noire de Peuterey. Na Mont Blanc przetarto inne wielkie trasy. Jednak z rozwiązaniem „ostatnich problemów" najwyższego szczytu Europy trzeba było poczekać do lat 60. XX wieku, kiedy dokonali tego Włoch Bonatti (Lombardczyk z urodzenia, przewodnik po Courmayeur z wyboru), Francuzi René Dasmaison i Pierre Mazeaud oraz Brytyjscy alpiniści Chris Bonington i Don Whillans.

W latach 70. minionego stulecia nastąpiły zmiany w technice wspinaczkowej zarówno po skałach jak i lodzie. Szwajcar Michel Piola i jego towarzysze przetarli niezwykłe trasy na granitowych Aiguilles de Chamonix i Grand Capucin, specjaliści zaś od wspinaczki po lodzie, tacy jak Jean-Marc Boivin, Giancarlo Grassi i Patrick Gabarrou, odkryli dziesiątki wąwozów i żlebów na ścianach „starego" Mont Blanc.

Chociaż plany stworzenia międzynarodowego parku u stóp szczytów i lodowców utknęły w martwym punkcie, to populacja kozic i koziorożców ciągle rośnie. Sieć rezerwatów przyrody chroni zachodnie zbocze Mont Blanc i masywów, które je wieńczą. Co roku tysiące turystów pokonuje szlak okrążający Mont Blanc, z którego można podziwiać wspaniałe widoki masywu. Również oni ulegają czarowi piękna olbrzyma.

38. Kulminacją Grandes Jorasses jest Pointe Walker (4206 m), otoczony przez Punta Margherita, Punta Elena, Pointe Croz i Pointe Whymper. Północna ściana opada gwałtownie po drugiej stronie grani.

38–39. Jeden z najbardziej charakterystycznych granitowych szczytów Mont Blanc, Dent du Gént (na zdjęciu z lewej) ma wysokość 4012 m, wznosząc się powyżej ośnieżonej grani, stanowiącej jego podstawę. Z prawej strony jest Aiguille de Rochefort (4001 m), a Aiguille Verte i Aiguille du Dru widać w tle.

40–41. Pasmo Aiguilles de Chamonix, inkrustowane lodem po zimowej burzy, wznosi się nad doliną Arve. Znajduje się w nim kilka najpiękniejszych granitowych szczytów Alp. Na zdjęciu można zobaczyć (od lewej do prawej) Aiguille des Ciseaux, Aiguille du Fou, Dent du Crocodile i Aiguille du Plan.

42–43. Wschodzące słońce oświetla wschodnią ścianę Matterhornu i granie oznakowanych tras. Oblodzone granie Dent Blanche widać z prawej strony.

43. Kulminacją Matterhornu, stanowiącego ogromną formację ze śniegu i skał, jest skalisty wierzchołek, który tworzy wznoszącą się w niebo grań szczytową. Dostęp do szczytu utrudniają z obu stron bardzo strome skały, po których szlak włoski (z lewej, w cieniu i słońcu) prowadzi wzdłuż zamocowanych na stałe lin i drabinek linowych.

Matterhorn

WŁOCHY–SZWAJCARIA

Chociaż nazwą, która każdemu przychodzi na myśl, kiedy mówi się o górach jest Everest, to bez wątpienia najbardziej znaną sylwetką jest pokryta lodem sylwetka Matterhornu (po włosku Cervino). Ten szczyt wysokości 4478 m oddziela Zermat w Valais od pastwisk w Breuil, w Valtournenche, gdzie w latach 30. XX wieku założono letnią i zimową miejscowość wypoczynkową Cervinia.

Matterhorn wznoszący się ponad lodowcami Zmutt i Gorner – widocznych z punktów widokowych na Klein Matterhorn, Testa Grigia i Gornergrat – stanowi po stronie szwajcarskiej regularną piramidę, której cztery ściany wyznaczają granie Hörnli, Furggen, Lion i Zmutt. Ze względu na kruchość skał prawie wszystkich wejść dokonano wzdłuż grani.

W sierpniu, kiedy po stopnieniu śniegu pokazuje się naga skała, dziesiątki grup wyposażonych w liny wchodzi na grań szczytową przez grań Hörnli, stanowiącą tradycyjną drogę z Zermattu. Droga od strony włoskiej przez grań Lion, która jest trudniejsza i wymaga przenocowania w niebezpiecznie zawieszonym schronisku Capanna Carrel, jest drogą mniej popularną. W ostatnich latach kilkukrotne obsunięcia gruntu sprawiły, że trasa ta stała się mniej bezpieczna i przewodnicy z Valtournenche musieli zamocować na nowo liny i usunąć nawisy skalne.

Nawet po upływie prawie półtora wieku zdobycie Matterhornu staje się wydarzeniem w historii międzynarodowego alpinizmu. Chociaż Michel Croz, przewodnik z Chamonix, był pierwszym człowiekiem z siedmioosobowej wyprawy, który stanął na szczycie 14 lipca 1865 roku, to tą siódemką kierował Edward Whymper, alpinista brytyjski, który podczas wcześniejszych sezonów letnich przeprowadził osiem prób wejścia na szczyt. Whymper, po kilkukrotnej próbie wejścia po grani Lion z przewodnikiem Jean-Antoine Carrel z Val d'Aosta, w końcu dotarł na szczyt z grani Hörnli. Jemu i Crozowi towarzyszyli Francis Douglas, wielebny Charles Hudson, młody lord Hadow i przewodnicy z Zermattu, ojciec i syn Taugwalderowie, obaj noszący imię Peter.

Ich zejście ze szczytu okryło się tragiczną sławą. Hadow poślizgnął się na najbardziej stromym odcinku, upadł na Croza i zrzucił go ze ściany. Hudson i Douglas zostali pociągnięci przez niego w dół. Cienka lina łącząca Douglasa z Taugwalderami i Whymperem pękła: Croz i trzej brytyjscy członkowie wyprawy spadli i ponieśli śmierć, natomiast Whymperowi i dwóm szwajcarskim przewodnikom udało się zejść. Groby tych, którzy zginęli, znajdują się na cmentarzu w Zermatt. Odwiedzają je nieustannie miłośnicy gór, z których większość odwiedza także pobliskie Muzeum Alp, w którym można zobaczyć pękniętą linę i inne eksponaty związane z tym tragicznym wypadkiem.

Chociaż zakończone tragedią zdobycie góry w 1865 roku nadało Matterhornowi rangę symbolu, to w dalszych latach historia wejść na górę rozwijała się w sposób regularny i systematycznie zdobywano kolejne granie i ściany. Trzy dni po wejściu Whympera, Carrel i grupa złożona z trzech innych miejscowych przewodników wspięła się na grań Lion, która jest już dziś dobrze znaną drogą z Cervinii. Grań Zmutt pokonał w 1879 roku inny Brytyjczyk, Albert Frederick Mummery razem z przewodnikiem z Valaise Alexandrem Burgnerem. Na grań Furggen wspięli się w 1911 roku przewodnicy Jean-Joseph Carrel i Jospeh Gaspard razem ze swoim klientem Mario Piacenzą.

Oblodzona ściana północnego zbocza, wyraźnie widoczna z Zermattu, została zdobyta w 1931 roku przez dwóch Bawarczyków, braci Franza i Toniego Schmidów. W 1965 roku szlak po tej samej ścianie przetarł w pojedynkę Walter Bonetti. Pięć lat później para alpinistów włoskich, Leo Cerruti i Alessandro Gogna wspięła się na Nos Zmutt wiszący z prawej strony ściany. W następnych latach inni sławni alpiniści europejscy, od Michela Pioli po Patricka Gabarrouna, przetarli trasy na Nos.

Sława Matterhornu spowodowała, że stał się on miejscem różnych zakładów, jak np. przejście czterech grani w jeden dzień, dokonane w 1970 roku przez dwóch przewodników ze Szwajcarii i wspinanie się na czas – aktualny rekord należy do alpinisty z Piemontu Valerio Bertoglio, który wspiął się na szczyt i powrócił do Breuil w ciągu 4 godzin, 16 minut i 20 sekund. Epopeja „najszlachetniejszej góry Europy" trwa.

Matterhorn

44. Ciepłe światło zachodzącego słońca oświetla spiczasty szczyt Matterhornu oraz jego dziką i kruchą ścianę zachodnią, którą zdobyto we wrześniu 1879 roku. Na tle chmur widoczna jest skalista grań Pic Tyndall (4241 m), którą przecina najbardziej znany szlak włoski na Matterhorn.

45. Zimowy śnieg pokrywa zbocza u podnóża Matterhornu i jego północną ścianę, nie ukrywając skalistego trójkąta wschodniej ściany. Stromy spadek Nosa Zmutt i imponującą grań Zmutt (na tle nieba), którą przecina klasyczna droga na szczyt, widać z prawej strony zdjęcia.

Matterhorn

46–47. Choć zimą alpejskie łąki, kolorowe od kwiatów, pokrywają się śniegiem i zamieniają się w narciarskie stoki, poprzecinane najlepszymi trasami w Alpach, to Matterhorn pozostaje jedną z najpiękniejszych gór na świecie. Z Testa Grigia, z miejsca, w pobliżu którego wykonano to zdjęcie, można zjechać na nartach zarówno do Zermatt, jak i Cervinii.

Monte Rosa

WŁOCHY–SZWAJCARIA

W sercu Alp Pennińskich znajduje się góra przypominająca szczyt himalajski – Monte Rosa, wznosząca się na pograniczu Włoch i Szwajcarii (w której znana jest jako Dufourspitze). Jest ona drugim co do wysokości szczytem Alp (4634 m). Niezwykle okazała ściana tego olbrzyma góruje nad wioską Macugnaga. W pogodne dni widać ją z równin Piemontu i Lombardii, a kiedy wiatr rozgoni chmury, to pokryty śniegiem masyw można dojrzeć aż z Mediolanu.

Na grani łączącej Monte Rosa i Matterhorn znajduje się kilka szczytów o wysokości przekraczającej 3960 m, takich jak Lyskamm, Castor i Pollux oraz cztery szczyty Breithornu, wznoszące się nad Zermattem i włoskimi dolinami Cervinia, Gressoneys i Ayas. Kulminacją szczytowej grani Monte Rosa górującej nad Macugnagą, Alagną i lodowcem Grenzletscher jest Dufourspitze, który otaczają Nordend (4609 m), Zumsteinspitze (4563 m) i Signalkuppe (po włosku Punta Gnifetti, 4554 m).

U wielu najwybitniejszych ludzi europejskiej kultury wspaniałe zbocza Monte Rosa budziły nawet większe zainteresowanie niż Mont Blanc. Leonardo da Vinci obserwował masyw w 1511 roku z Cima di Bo, szczytu po stronie Piemontu. Pod koniec XVIII wieku pochodzący z Genewy alpinista Horace-Bénédict de Saussure po wejściu na Mont Blanc wspiął się na Pizzo Bianco (3995 m) znajdujący się pomiędzy dolinami Anzasca i Sesia i odbył wędrówkę wokół samego masywu.

Pierwsi alpiniści, którzy odważyli się wejść na lodowce, by sięgnąć wyższych rejonów Monte Rosa, pochodzili z Piemontu i Val d'Aosta. W 1778 roku zgodnie z legendą *Verlorne Tal* („zaginiona dolina" otoczona przez lodowce) siedmiu młodych ludzi z Gressoney weszło na Colle del Lys i Entdeckungfels („Skała odkrycia"), skąd rozlega się widok na ścianę Zermattu. W 1819 roku jeden z nich, Josef Zumstein wspiął się na szczyt, który obecnie nosi jego imię. Dwadzieścia trzy lata później, w 1842 roku grupa pod kierunkiem Giovanniego Gnifetti, proboszcza z Alagna, dokonała pierwszego wejścia na Signalkuppe, którą Włosi przemianowali na Punta Gnifetti.

W ciągu dwóch stuleci stopniowo zdobywano szczyty i granie Monte Rosa. W 1855 roku brytyjscy alpiniści Charles Hudson, John Birkbeck, E. J. Stephenson, J.G. i C. Smythe'owie

48 z lewej. Oblodzona przełęcz Colle Sesia w górnej części stromego, ośnieżonego wąwozu oddziela skały Signalkuppe (z prawej) od grani Parrotspitze.

48 z prawej. Charakterystyczna sylwetka Vincent-Pyramide (4215 m, z lewej) i skalistej Punta Giordani (4046 m) dominuje nad lodowcem Indren i wąwozem o tej samej nazwie, schodzącym ku Gressoney. Dzięki kolejce linowej z Alagna te szczyty należą do najczęściej odwiedzanych w całym masywie.

49. Schronisko Capanna Margherita, założone w 1893 roku i przebudowane w 1980, znajduje się na wysokości 4559 m na Signalkuppe, czwartym co do wysokości szczycie masywu Monte Rosa.

50–51. Okazała wschodnia ściana Monte Rosa, dominująca nad górną częścią doliny Anzasca i Macugnana, należy do najwyższych i najwspanialszych w Alpach. Ta niezwykła ściana skalna po raz pierwszy została zdobyta w 1872 roku, a w 1979 po raz pierwszy zjechano z niej na nartach. Potężne lawiny sprawiają, że czują przed nią respekt nawet doświadczeni alpiniści.

50 u dołu. Szczyty Lyskamm, Castor i Pollux oraz Breithorn wznoszą się na granicznej grani pomiędzy Włochami i Szwajcarią, pomiędzy Monte Rosa i Matterhornem, który wyraźnie widać z prawej strony. Ze skalistego szczytu Gornergrat, na który dojeżdża z Zermatt kolejka zębata, rozciąga się zapierający dech widok.

Monte Rosa

weszli na Dufourspitze z przewodnikami z Valaise – J. i M. Zugtaugwaldami i Ulrichem Lauenerem.

W 1872 roku trzech innych alpinistów brytyjskich, Richard William Pendlebury i Charles Taylor, prowadzeni przez Gabriela Spechtenhausera, Ferdinanda Imsenga i Giovanniego Oberto przetarło pierwszy szlak przez wschodnią ścianę.

Osiem lat później włoski alpinista Damiano Marinelli oraz przewodnicy górscy Ferdinand Imseng i Battista Pedranzini zginęli w lawinie na wschodniej ścianie. W 1893 roku Włoski Klub Górski otworzył na Signalkuppe najwyżej położone w Europie schronisko i nadał mu imię królowej Małgorzaty.

Ostatnio na masywie dają o sobie znać najnowsze trendy w alpinizmie. W 1979 roku Genueńczyk Stefano de Benedetti zjechał po wschodniej ścianie Monte Rosa na nartach. W 1986 roku szwajcarscy alpiniści Erhard Loretan i André Georges dokonali w ciągu 18 dni zimowego przejścia całej „Cesarskiej Korony", serii szczytów (w tym trzydziestu wysokości ponad 4000 m) otaczających Zermatt.

Oczywiście alpinizm stanowi tylko część historii Monte Rosa. Podczas gdy doświadczone wyprawy, wyposażone w liny udają się na szlaki, po których wspinano się już w XIX wieku, takie jak trawers Lsykamm i grań Signal, to każdego lata

tysiące turystów wspina się na lodowiec Lys, podążając ku najwyższym szczytom masywu.

Chociaż ścieżka prowadząca do schroniska Monte Rosa (historycznej chaty Bétemps) na ścianie Zermattu wymaga przejścia przez poziom Gornergletscher, do podnóża wschodniej ściany można dojść z Macugnaga łatwą ścieżką przecinającą morenę lodowca Belvedere. Inne łatwe trasy, prowadzące przez dzikie okolice, pozwalają turystom odkryć wodospady i alpejskie pastwiska w górnej części doliny Sesia, gdzie jeden z najświetniejszych parków regionalnych w Piemoncie daje schronienie orłom, kozicom i koziorożcom alpejskim.

51. Masyw Monte Rosa, chociaż mniej okazały niż wtedy, gdy obserwuje się go z równiny na południu (powyżej której wznosi się średnio na wysokość 4390 m) wygląda również wspaniale oglądany z wielkich wysokości, kiedy sprawia wrażenie ogromnego płaskowyżu oddzielonego od reszty pasma. Niezwykła formacja masywu składa się z 20 szczytów wysokości przekraczającej 3960 m, znajdujących się na względnie małym obszarze, co sprawia, że jest to region o najwyższej średniej wysokości w Alpach. Monte Rosa jest drugą co do wysokości górą w Alpach i najwyższą w Szwajcarii.

52–53. Północna ściana szczytu Mönch opada stromo ku Grindelwald, a południowa część góry przypomina piramidę z lodu i śniegu. Po prawej widać skalisty szczyt Eigeru.

52 u dołu. Zachodzące słońce oświetla południowo-zachodnią ścianę (Rottal) Jungfrau. W górnym prawym rogu widać główny szczyt, a pośrodku ścianę Milchstül.

53 u dołu. Północna ściana Mönch, centralnego szczytu trójcy składającej się ponadto z Jungfrau i Eigeru, wygląda bardziej nieprzystępnie niż południowa strona góry (dotyczy to również jej dwóch sąsiadów). Z prawej strony zdjęcia wykonanego o zachodzie słońca w pogodny zimowy dzień widać charakterystyczny kształt Eisnollen („Lodowy Nos") przecięty klasyczną drogą wejścia.

Jungfrau, Eiger i Mönch

SZWAJCARIA

Szczyty Jungfrau, Mönch i Eiger dominują nad najbardziej malowniczymi dolinami Alp Berneńskich. Stoją jeden przy drugim, tworząc północny bastion pasma oddzielającego Valais od serca Szwajcarii, widziane na horyzoncie w Interlaken i Bernie, górując nad wąskimi dolinami ciągnącymi się w górę aż do jezior Brienz i Thun w kierunku Grindelwaldu, Mürren i Wengen.

Jungfrau („Panna" po niemiecku) jest najwyższym szczytem spośród tej trójki (4158 m). Jej wspaniała lodowa ściana wznosi się nad doliną Weisse Lutschine. Dalej na wschód, po prawej stronie obserwatora, znajduje się trójkątna sylwetka Möncha („Mnicha", 4099 m) dominująca nad Grindelwaldem swoją lodowo-skalną ścianą. W pobliżu znajduje się zaokrąglona sylwetka Eisnollen, „Lodowego Nosa". Jednak najsłynniejszą górą Alp Berneńskich od ponad pół wieku jest trzeci szczyt z tej grupy, Eiger („Ogr"), o wysokości 3970 m. Jego ponura północna ściana, o którą nieustannie uderzają spadające odłamki skalne, wznosi się na wysokość 2000 m nad Kleine Scheidegg i Grindelwaldem.

Eiger, będący legendą alpinizmu europejskiego lat 30. XX wieku, został zdobyty w 1938 roku przez austriacko-niemiecką wyprawę, w której skład wchodzili Anderl Heckmair, Franz Kasparek, Heinrich Harrer i Ludwig Vörg. Szczyt ten zapisał się tragicznie w historii alpinizmu światowego ze względu na wiele ofiar, jakie pochłonął. Obecnie Eiger może pochwalić się istnieniem około 20 tras, a szlakiem z 1938 roku przechodzi co roku bez większych problemów wiele grup alpinistycznych. Mimo to wielu turystów obserwuje ścianę góry przez lornetkę, wyglądając wypadków lub akcji ratowniczych.

Trzy szczyty wznoszące się nad Interlaken i Bernem są najbardziej znanymi górami w Alpach Berneńskich, „małych Himalajach", których kulminacyjnymi punktami są Finsteraarhorn (4274 m) i Aletschhorn (4195 m), i w których znajdują się takie ogromne lodowce, jak Aletsch (największy w Europie), Fiescher, Oberaar i Unteraar. Na wschód od Grindelwaldu i Eigeru obraz uzupełniają wspaniałe skaliste szczyty, Schreckhorn i Wetterhorn.

Alpinizm stanowi tylko część obrazu tego obszaru. Doliny u stóp Alp Berneńskich odegrały bardzo ważną rolę w historii narciarstwa, ze wspaniałymi trasami (w tym 122-kilometrowa Hintere Gasse) wijącymi się przez pastwiska i łąki alpejskie od najwyższych szczytów. Kolejka zębata na przełęcz Jungfraujöch (3475 m) z Grindelwaldu i Wegen czyni z tego miejsca jeden z najpopularniejszych punktów widokowych w Alpach.

Jungfrau, Eiger i Mönch

54–55. Jungfrau, przecięta granią całego masywu, jest widoczna z prawej strony zdjęcia, dalej w kierunku północnym jest przełęcz Jungfraujöch oraz szczyty Eiger i Mönch (daleko z lewej). Na środkowej przełęczy można zauważyć stację meteorologiczną Sphinx.

55 u góry. Mönch został zdobyty po raz pierwszy w 1863 roku przez R.S. Macdonalda i przewodników alpejskich Anderegga i Almera. W tle można zobaczyć po lewej stronie Finsteraarhorn, po prawej znajduje się lodowiec Aletsch i szczyt Aletschhorn.

55 u dołu. Lodowiec Aletsch schodzący w kierunku Valais z przełęczy Jungfraujöch i szczytów wznoszących się nad Grindelwaldem i Interlaken jest największym i najwspanialszym lodowcem Alp. Grupę Aletschhorn widać pośrodku.

Piz Badile

WŁOCHY–SZWAJCARIA

Granitowe szczyty oddzielające doliny Bondasca w Szwajcarii i Masino we Włoszech przyczyniły się do tego, że wielu wielkich ludzi gór stało się poetami. Gaston Rébuffat w *Świetle gwiazd i burzy* napisał, że Val Bondasca jest najbardziej zachwycającą kotliną na świecie, zaś Walter Bonatti w *Moich górach* dodał, że najpiękniejszy krajobraz górski jaki zna, znajduje się zaraz za granicą szwajcarską, u wejścia do doliny Engadin.

Granitowe góry między dolinami Bondasca i Masino należą do najbardziej malowniczych w Alpach. Ich północne stoki pokrywają gęste lasy świerkowe i modrzewiowe, które ciągną się w dół ku Promontogno i Bondo, podczas gdy strona włoska często jest naga i skalista. Piz Badile osiągający wysokość 3308 m jest doskonale znany wśród alpinistów. Od strony szwajcarskiej tworzy go niezwykła Nordkante (ściana północna), obok której znajduje się grań sprawiająca wrażenie, jakby wyciosała ją siekiera olbrzyma. Serię niemal równie imponujących ścian tworzy Piz Cengalo, który wznosi się na wysokość 3367 m, Cima di Zocca, Punta Allievi i dziesiątki innych szczytów pasma.

Piz Badile i pobliskie szczyty są niezbyt dobrze znane tysiącom turystów jadącym w góry z Chiavenny w kierunku przełęczy Maloja i St. Moritz, ale przedstawiają niezwykły widok, kiedy patrzeć na nie ze schronisk Sasc Furä i Sciora. Zostały one odkryte przez brytyjskich alpinistów w XIX wieku i w okresie międzywojennym zapisały się na kartach historii alpinizmu. Po zdobyciu w 1923 roku przez Szwajcarów Waltera Rischa i Alfreda Zürchera arcytrudnej północnej grani, uwagę skierowano na pobliską ścianę północno-wschodnią, na którą w 1937 roku wspięli się Riccardo Cassin, Luigi Esposito i Vittorio Ratti z Lecco oraz Mario Molteni i Giuseppe Valsecchi z Como. Niestety, śmierć z wyczerpania, jaką ponieśli podczas schodzenia Valsecchi i Molteni, zmieniła wielkie zwycięstwo w tragedię.

W okresie przed drugą wojną światową i po niej najwybitniejsi alpiniści włoscy, w tym Giusto Gervasutti, Walter Bonatti i Alfonso Vinci przetarli szlaki na inne szczyty pasma. Piz Badile znalazł się ponownie na pierwszych stronach gazet w 1968 roku, kiedy trzech włoskich i trzech szwajcarskich alpinistów dokonało pierwszego wejścia trasą Cassina, biwakując po drodze dziesięć razy. Później na Nordkante, uważanej przez alpinistów za jedną z najbardziej prestiżowych i najtrudniejszych skalnych ścian w Alpach, przetarto różne bardzo trudne szlaki, w tym Pilastro a Goccia i Via del Fratello. Niżej modrzewie, wodospady i kozice tworzą idylliczny krajobraz na turniach wokół schroniska Sasc Furä. Wydaje się, że czas zatrzymał się w wioskach Promontogno i Bondo, pomimo zdążających sznurem do St. Moritz samochodów.

56 u góry. Piz Cengalo osłonięty z prawej strony gładką północną ścianą Piz Badile, którą zdobyto w 1937 roku, można podziwiać ze schroniska Sciora (pośrodku zdjęcia).

56 u dołu. Na tym zdjęciu zrobionym z Piz Badile w kierunku wschodnim można podziwiać wiele pięknych szczytów Alp Środkowych. Pośrodku jest Piz Cengalo, Monte Disgrazia znajduje się na lewo od niego.

57. Tradycyjna trasa na Piz Badile, pomimo przerażającego wyglądu góry, jest względnie łatwa dzięki licznym żlebom, występom i półkom skalnym. Szczyt został zdobyty po raz pierwszy w 1967 roku.

58–59. Na tym zdjęciu, wykonanym w zimie z górnych partii prawej ściany doliny Bondasca, widać dziką i surową scenerię, jaką tworzą północna ściana Piz Badile (z prawej) i Piz Cengalo (3367 m).

Piz Bernina

WŁOCHY–SZWAJCARIA

Jedno z najbardziej malowniczych i najczęściej fotografowanych pasm górskich odcina dolinę Engadin od południa. Widok z Pontresina, St. Moritz, z kolejki wspinającej się na przełęcz Bernina lub z gęstego świerkowego lasu otaczającego hotel Roseg obejmuje oblodzone skały Piz Palu, Piz Zupo i Piz Roseg okalające śnieżne granie Piz Bernina, najbardziej na wschód położony szczyt Alp o wysokości przekraczającej 4000 m.

Kontrasty między lasami, w których łatwo można zobaczyć sarnę, ośnieżonymi szczytami okolonymi wielkimi skalistymi gzymsami i budzącymi grozę iglicami lodowców Morteratsch i Roseg wyjaśniają, dlaczego ten obszar nazwano ponad sto lat temu „Salą balową Alp". Piz Roseg ma wysokość 3936 m a Piz Zupo 3995 m, natomiast Piz Bernina sięga 4049 m, co czyni go szczególnie atrakcyjnym dla alpinistów.

Chociaż masyw tworzy dział wodny między szwajcarskim Engadin a włoską Valtelliną, to najwyższy szczyt wznosi się na północ od grani i znajduje się całkowicie na terytorium Szwajcarii. Po stronie włoskiej skały i lodowce masywu opadają łagodniej ku górnym partiom Valmalenco i sztucznemu jezioru Franscia.

Pierwszego wejścia na Piz Bernina dokonał we wrześniu 1859 roku Johann Coaz i jego pomocnicy Joan i Lorenz Ragut Tscharnerowie. Weszli oni trudną trasą przecinającą lodowiec Morteratsch i prowadzącą dalej wzdłuż skalistej Wschodniej Grani. Wybudowanie po 1913 roku po stronie włoskiej schronisk Capanna Marco i Rosa spowodowało, że większość alpinistów skupiła się na wysokiej, ale nietrudnej skalistej grani Spalla, która częściowo wyposażona jest w umocowane na stałe liny.

Od półtora wieku, jakie dzieli nas od wejścia Coaza, Piz Bernina był badany krok za krokiem, podobnie jak inne szczyty alpejskie, a na jego pokrytych lodem skalnych ścianach przetarto liczne trudne szlaki. Najbardziej elegancka droga i przedmiot marzeń wielu alpinistów jest jednak wynikiem intuicji XIX-wiecznych wspinaczy.

Pierwszego całkowitego wejścia na Biancograt falistą ośnieżoną granią, która wspina się pod górę od strony północnej, tworzącą ważny wtórny szczyt Piz Alv (3995 m), dokonali w 1879 roku niemiecki alpinista Paul Güssfeldt i przewodnicy z Engadin Hans Grass i Johann Gross. Mało jest tras w Alpach, które dorównywałyby tej drodze pod względem elegancji i malowniczości.

60. *Z punktu widokowego Corvatsch widać Piz Bernina (z lewej), Piz Scerscen i Piz Roseg. Piz Gemelli, przełęcz Sella, Piz Glüschaint i Crasta dal Lej Scrischus widać w tle.*

60–61. *Wspaniały widok Piz Bernina o zachodzie słońca z Fuorcla Surlej w Engadin.*

61 u dołu. *Biancograt zachowuje elegancję nawet w zimie, kiedy górne partie masywu częściowo pokrywa śnieg. Na tym zdjęciu widać przerwę oddzielającą ośnieżony Piz Alv (3995 m) od skalnego szczytu Piz Bernina.*

62–63. *Wyposażeni w liny alpiniści wspinają się na ośnieżoną grań Biancograt, która prowadzi na Piz Alv i dalej na Piz Bernina.*

EUROPA

64. *Droga prowadząca w górę od Trafoi do przełęczy Stelvio (2756 m) została wytyczona w latach 1820–1825 w niedostępnej, o stromych zboczach dolinie, nad którą od południa dominuje Monte Ortles (z prawej).*

Monte Ortles

WŁOCHY

Jeden z najbardziej imponujących oblodzonych szczytów alpejskich wznosi się na granicy Lombardii i Południowego Tyrolu, w zasięgu wzroku od przełęczy Stelvio i granicy szwajcarskiego kantonu Graubünden. Monte Ortles, wyraźnie widoczny z górnych partii doliny Venosta i drogi do Austrii prowadzącej przez przełęcz Resia, ma wysokość 3905 m. Od strony południowej osłania go pasmo, którego kulminacją są Gran Zebrù (3851 m) i Cevedale (3769 m). Stanowi on serce Parku Narodowego Stelvio obejmującego obszar 1347 km^2, co czyni go największym parkiem w Alpach włoskich.

Do jeleni europejskich, orłów i kozic dołączyły ostatnio rysie, które wróciły do doliny Martello, oraz ostrosęp brodaty, który kiedyś powszechnie występował w całych Alpach, a został ponownie wprowadzony w latach 90. XX wieku w Austrii, Francji, we Włoszech i Szwajcarii. Niedźwiedź, obecny w Dolomitach Brenta, wrócił do Stelvio w 2005 roku. Przez wiele wieków Monte Ortles był najwyższym szczytem cesarstwa austriacko-węgierskiego i nadal jest jedną z najlepiej znanych gór wśród niemieckojęzycznych alpinistów i turystów. Pierwsze wejście, którego dokonał w 1804 roku Josef Pichler znany jako Josele, przemytnik i myśliwy z doliny Passiria oraz Johann Klausner i Johann Leitner, alpiniści regionu Alp Zillertal, zostało z entuzjazmem powitane przez dwór wiedeński. Droga, którą przeszli ci trzej, na nowo odkryta w 2004 roku przez Reinholda Messnera, prowadzi przez ściany pokryte skałami i lodem, których pokonanie w tamtym czasie było bardzo trudne.

W wieku XIX i XX przetarto kilka atrakcyjnych szlaków przez granie Monte Ortles (granie Tabaretta, Coston i Solda) oraz jego strome i zdradliwe ściany. Oblodzona ściana północna, najtrudniejsza, została pokonana w 1934 roku przez niemieckich alpinistów Hansa Ertla i Franza Schmida.

64–65. Potężna zachodnia ściana Monte Ortles (na zdjęciu z lewej strony) i grzebień, z którego wznoszą się Punta Thurwieser (3652 m), Cime di Campo (3480 m) i Monte Cristallo (3434 m) tworzą tło panoramicznej przechadzki wzdłuż grani rozgraniczającej Włochy i Szwajcarię.

65 u dołu. Spektakularne północne ściany Gran Zebrù (3851 m, pośrodku zdjęcia) i Monte Zebrù (3724 m) tworzą tło dla łąk i jezior doliny Madritsch. Te porośnięte trawą zbocza w lecie pokryte są kwiatami, a w zimie biegną po nich trasy narciarskie.

Monte Ortles

Równie zaskakującego, chociaż bardzo odmiennego wyczynu dokonały w 1916 roku austriacko-węgierskie oddziały górskie, wciągając na szczyt Monte Ortles działa o kalibrze 70 mm.

Dzisiaj w pogodne letnie dni można zaobserwować o zmierzchu długi szereg turystów ciągnący skałami grani łączącej schronisko Payer z lodową pokrywą szczytu.

Strome zbocza góry można podziwiać również z tras i ścieżek narciarskich Soldy, drogi prowadzącej w górę aż do Stelvio i spokojnej alpejskiej wioski Trafoi. Reinhold Messner, który często odwiedza Soldę, otworzył w wiosce muzeum poświęcone pasmu Ortles i wypuścił na okoliczne łąki kilka jaków, wprowadzając do Górnej Adygi himalajski akcent.

66 u góry. Schronisko Costòn zbudowano w 1892 roku na wysokości 2661 m na pokrytym trawą tarasie, nad którym dominują Monte Ortles, Monte Zebrù i Gran Zebrù. Stanowi ono popularny cel wypraw turystycznych i służy jako baza dla wypraw na grań Hintergrat (po włosku Cresta del Costòn) Monte Ortles i trudną północną ścianę Gran Zebrù.

66 u dołu i 67. Szeroka, łagodnie opadająca północno-zachodnia ściana Monte Ortles, pomimo wielu szczelin i stromych oblodzonych ścian, nie sprawia większych trudności wyposażonym w liny grupom wspinającym się tradycyjną drogą na najwyższy szczyt Tyrolu. Stromą i bardzo niebezpieczną północną ścianę góry, którą pokonano po raz pierwszy w 1934 roku, widać w cieniu z lewej strony.

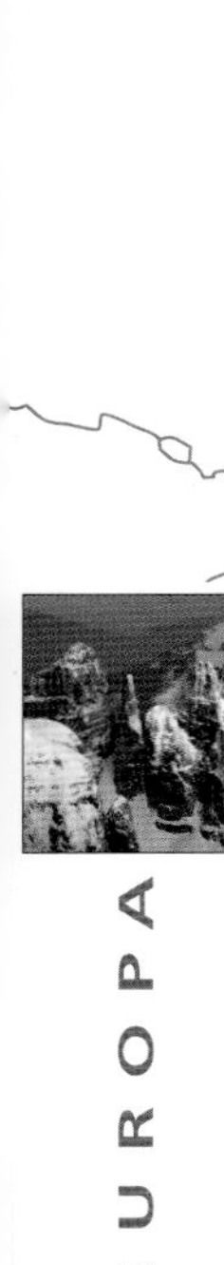

Crozzon di Brenta i Campanile Basso

WŁOCHY

Najsłynniejszy szczyt Dolomitów znajduje się w masywie Brenta i na zachód od doliny Adygi. Campanile Basso wysokości 2883 m, otoczony biegnącymi pionowo ścianami i krawędziami, stanowi symbol gór regionu trydenckiego. Od ponad wieku cieszy się wielką popularnością wśród alpinistów dzięki swojemu przykuwającemu uwagę kształtowi i niezwykle solidnej skale.

Z pasma Sfulmini ciągnącego się wokół Campanile Basso wznoszą się nad horyzont Campanile Alto, Torre di Brenta i Brenta Alta, której północną ścianę przecinają jedne z najtrudniejszych szlaków w Dolomitach. Dolina Brenty oddziela te wieże Dolomitów od wyższego pasma masywu, którego kulminację stanowi szczyt Cima Rosa (3173 m). Widok wspaniałych ścian skalnych pobliskiego Crozzon, którego wierzchołek wznosi się na wysokość 3135 m, po prostu zapiera dech.

Z geograficznego punktu widzenia Crozzon di Brenta jest boczną granią Cima Tosa, ale dla alpinistów jest oddzielnym szczytem z charakterystyczną północną krawędzią, która przecina niebo na wysokości 900 m. „Jest to widok, jakiego nigdy nie widziałem w Alpach" – zawołał Austriak Paul Preuss, jeden z największych alpinistów swoich czasów, kiedy po raz pierwszy zobaczył górę w 1911 roku.

W ciągu następnych dni Preuss i jego przyjaciel Paul Relly dokonali pierwszego wejścia na Crozzon po północno-wschodniej ścianie, na lewo od krawędzi, którą Fritz Schneider i Adolf Schulze pokonali przed sześcioma laty. Wyczynem, który przyniósł sławę temu austriackiemu alpiniście było jednak wejście – pierwsze w ogóle – po pionowej wschodniej ścianie skalnej Campanile Basso. Preuss wspiął się na nią sam, bez lin, zaledwie w dwie godziny.

Kilka lat wcześniej alpiniści z Trydentu i Tyrolu konkurowali między sobą, kto zdobędzie Campanile. W 1897 roku Carlo Garbari, Nino Pooli i Antonio Travenaro pierwsi wspięli się na górę i oznaczyli wiele niebezpiecznych miejsc wzdłuż szlaku, który obecnie stanowi trasę, ale ponieśli porażkę zaledwie kilkadziesiąt stóp od szczytu. Dwa lata później alpiniści z Tyrolu, Otto Ampferer i Karl Berger poszli ich śladami, a następnie wybrali przejście, które okazało się kluczem do wejścia na szczyt. „Inni podbijali wielkie wyspy o płaskich wybrzeżach, nasza wyspa jest mała i ma wysokie, wspaniałe brzegi" – napisał Ampferer.

Od tego czasu Campanile Basso – jak wiele sławnych gór – stała się przedmiotem statystyk i bicia rekordów. Pierwszemu wejściu zimowemu i nocnemu oraz tysięcznemu towarzyszyły uroczystości. Grupa składająca się z setek alpinistów powiązanych linami dokonała w 1999 roku wejścia tradycyjną drogą dla uczczenia setnej rocznicy zdobycia szczytu. Dzisiaj około 20 szlaków prowadzi zygzakami przez ściany góry. Obecnie obok klasycznej trasy i trasy Preussa najbardziej popularnymi są wspaniały dwuścian pokonany w 1908 roku przez Rudolfa Fehmanna i Olivera Perry-Smitha, z odcinkami o stopniu trudności IV+ oraz południowo-zachodnia krawędź grani bocznej o stopniu trudności V i V+, którą w 1934 roku zdobyli Giorgio Graffer i Antonio Miotto.

Wielu alpinistów przetarło również trasy na Crozzon. W 1928 roku pochodzący z Trydentu Virgilio Neri wspiął się na śnieżny komin oddzielający szczyt od Cima Tosa, a w 1970 roku Tyrolczyk Heini zjechał z niego na nartach. W 1933 roku miejscowi alpiniści Bruno Detassis i Enrico Giordani wspięli się na Via delle Guide, przecinającą najbardziej stromą część ściany góry. Trzydzieści dwa lata później Jean Fréhel i Dominique Leprince-Ringuet wspięli się na wspaniały Filar Północno-Wschodni, Cesare Maestri zaś, kolejny alpinista z Trydentu, wzbudził w 1956 roku podziw swoim samotnym zejściem przez Via delli Guidi bez lin.

Dzika przyroda rozkwita w okolicy – parowy u podnóży Crozzon di Brenta goszczą kozice, a lasy po wschodniej stronie grupy szczytów dają schronienie największej populacji niedźwiedzi w Alpach włoskich.

68 i 68–69. Północna grań Crozzon di Brenta widziana w świetle zimowego popołudnia oddziela słoneczną zachodnią ścianę góry od oblodzonej ściany północno-wschodniej, na którą o tej porze roku słońce pada tylko wczesnym rankiem. W tle widać kopułę Cima Tosa.

69 u dołu. Szczytowy płaskowyż Cima Tosa (najwyższy szczyt masywu wysokości 3173 m) widać w górnej części zdjęcia. Brenta Alta znajduje się z prawej strony.

70–71. Widok z lotu ptaka na Crozzon di Brenta (na pierwszym planie) ze znajdującymi się z tyłu Cima Tosa i błękitnym zarysem Campanile Basso.

Grossglockner

AUSTRIA

EUROPA

Grossglockner („Wielki dzwonnik"), będący najwyższą i najbardziej imponującą górą Austrii, wznosi się na wysokość 3797 m. Oddziela on Wschodni Tyrol od Karyntii (Kärnten). Położony jest pośrodku jednego z najpiękniejszych i urozmaiconych pod względem przyrodniczym obszarów Alp i dominuje nad lodowcem Pasterze. Góra oglądana z Luckner Haus i samotnych pokrytych trawą grani, oddzielających doliny Matrei i Kals we wschodnim Tyrolu, sprawia wrażenie masywnej, a wygląda na postrzępioną od strony Heligenblut w Karyntii, gdzie strome, oblodzone żleby wschodniego zbocza opadają gwałtownie ku ziejącym szczelinom lodowca Pasterze.

Zdobycie Grossglocknera zajmuje ważne miejsce we wczesnych rozdziałach historii alpinizmu. W 1800 roku grupa „zdolnych myśliwych polujących na sępy" prowadzona przez Franza Salma dotarła na rozkaz księcia biskupa Salzburga do ośnieżonych skał szczytu. Ten historyczny wyczyn upamiętnia słynny obraz pędzla Johanna Pogla z 1928 roku, mieszczący się obecnie w Alpenverein Museum w Innsbrucku.

Co roku tysiące alpinistów przemierza wysoką grań prowadzącą na szczyt ze schroniska Herzog-Johann Hütte po skałach Kleinglocknera. Studl Grat, imponująca skalista grań schodząca ku zboczu Kals, jest kolejną klasyczną i często używaną trasą z odcinkami o III stopniu trudności. Cofnięcie się lodu i pojawienie się wielu nawisów skalnych sprawiło jednak, że parów Pallavicini z boku lodowca Pasterze jest obecnie rzadziej odwiedzany niż w przeszłości.

Turyści z całej Europy tłumnie przemieszczają się po ścieżkach Parku Narodowego Hohe Tauern u podnóża wielkiej góry i pobliskiego Gross Venediger (Wielki Wenecjanin), obejmującego obszar 1780 km^2 we Wschodnim Tyrolu, na terenach wokół Salzburga i w Karyntii, co czyni ten park największym terenem chronionym w Alpach.

Park obejmuje obszary zalesione, łąki wysokogórskie i dziesiątki lodowców. Każdego roku przyjeżdża tutaj ponad milion gości, którzy mogą przez cały sezon letni korzystać z ośrodków turystycznych i uczestniczyć w zorganizowanych wycieczkach. W Parku Narodowym Hohe Tauern obok ostrosępa brodatego, którego osiedlono tu ponownie w latach 80. XX wieku żyją koziorożce, jelenie europejskie, świstaki i inni przedstawiciele wspaniałej fauny alpejskiej. Równie interesujące są lodowce, z których największym jest lodowiec Pasterze.

72. Kleinglockner i Grossglockner (wśród chmur) tworzą tło dla lodowca Kodnitzkees.

73. Wspaniała wschodnia ściana Grossglocknera z wyżłobionym parowem Pallavicini dominuje nad lodowcem Pasterze, największym w Alpach Austriackich, który zajmuje obszar prawie 21 km^2.

74–75. Promienie zachodzącego zimowego słońca padają na masyw Brennkogel (3018 m).

EUROPA

Tre Cime di Lavaredo

WŁOCHY

Na tych, którzy dotrą do schroniska Locatelli (nazywanego po niemiecku Dreizinnen Hütte) z dolin Pusteria lub Auronzo, oczekuje jeden z najsłynniejszych widoków, jakie można zobaczyć w Dolomitach. Sylwetka Tre Cime di Lavaredo (po niemiecku Dreizinnen Hütz) nawet dla tych, którzy nic nie wiedzą o alpinizmie, stanowi jeden z symboli przygody i wyzwań towarzyszących zdobywaniu wysokości takich jak Mount Everest, Cerro Torre i Matterhorn. Północna ściana szczytu Cima Grande wysokości 2999 m opada stromo w dół ku piargom u jej podnóża. Cima Ovest wznosząca się na wysokość 2973 m jest szersza, a jej ściana północna poprzecinana ogromnymi nawisami skalnymi.

Cima Piccola (2857 m) może pochwalić się wspaniałą Żółtą Granią po stronie Auronzo, ale widziana z północy sprawia niewielkie wrażenie. „Brakuje słów w obliczu strasznej surowości tych ogromnych, złowieszczych i samotnych ścian..." napisał Dino Buzzati, wielki znawca i miłośnik Dolomitów. Strona południowa, nie tak stroma i budząca grozę pokazuje, że jest tu więcej szczytów niż tylko trzy (można tu zaobserwować również szczyty Cima Piccolissima, Punta di Frida i Il Mulo). To ją wybrano w XIX wieku do pierwszych wejść.

Jednak dopiero wyczyny z lat 30. XX wieku, których dokonano na ścianach północnych, przyniosły Cime sławę wśród alpinistów i turystów. Historia zaczęła się w 1933 roku, kiedy alpinista z Triestu Emilio Comici wraz z braćmi Angelo i Giuseppe Dimai z Cortiny weszli na północną ścianę Cima Grande. Miesiąc później Comici wspiął się na Żółtą Grań razem z Mary Varale i Renato Zanuttim. W 1934 roku Riccardo Cassini i Vittorio Ratti zdobyli północną ścianę Cima Ovest, opadającą stromo 350 m.

O ścianach północnych zaczęto ponownie mówić w 1958 roku, kiedy alpiniści niemieccy Dietrich Hasse, Lothar Brandler, Jorg Lehne i Sigi Löw przetarli bezpośredni szlak na Cima Grande.

76–77. Tre Cime di Lavaredo widziane z brzegów jeziora Misurina wyglądają równie okazale jak od strony północnej. Na tym zdjęciu Cima Ovest znajduje się z lewej strony a Cima Grande z prawej. Niżej w tle widać wydłużony masyw Sasso di Ladro.

77 u dołu. Południowe zbocza Tre Cime di Lavaredo tworzą tło dla żlebu – u progu lata nadal pokrytego śniegiem – ciągnącego się w górę od schroniska Fonda Savio w kierunku serca Cadini di Misurina, postrzępionego masywu, oddzielającego Tre Cime od głębokiej doliny Ansiei, opadającej w kierunku Auronzo.

Tre Cime di Lavaredo

W kolejnym roku urwiska Cima Ovest stały się sceną pojedynku między szwajcarskimi alpinistami Hugo Weberem i Albinem Schelbertem a „wiewiórkami" z Cortiny: Claudio Zadninim, Candidi Bellodisem, Beniamino Franceschim i Albino Michiellim. Te dwie grupy ścigały się i wyprzedzały na przemian, unikając jednak na szczęście przemocy fizycznej.

Kilka dni później wyprawa francuska stawiła czoła wielkiemu nawisowi skalnemu na Cima Ovest. Po tygodniu zmagań René Desmaisonowi udało się pokonać poziomą półkę przecinającą ścianę. „Krzyczeliśmy z radości, chcąc by usłyszano nas w Cortinie" – napisał Pierre Mazeaud, który wówczas szedł za nim.

Północne ściany nadal cieszą się wielką popularnością. W czasie gdy alpiniści z całego świata pokonywali trasy przetarte przez Cassina i Comiciego, to ci najlepsi wspinali się swobodnie po historycznych szlakach bez stosowania haków. W 1999 roku alpinista z Triestu Mauro „Bubu" Bole wspiął się trasą zespołu francuskiego, bez dotykania haków, natomiast dwa lata później Bawarczyk Alexander Huber otworzył na Cima Ovest trasę, w której występują odcinki o XI stopniu trudności.

78–79. Północne ściany Tre Cime di Lavaredo (od lewej do prawej: Cima Piccola, Cima Grande i Cima Ovest) stanowią o każdej porze roku jeden z najpiękniejszych widoków Dolomitów. Zachodzące słońce oświetla górną część północnych ścian, pozostawiając okazałe strome ściany Cima Ovest i Cima Grande niemal całkowicie w cieniu.

„Jest to ostatni szczebel drabiny prowadzącej do osiągnięcia doskonałości w sztuce wspinaczki górskiej" – skomentował ten wyczyn Reinhold Messner.

Jednak Tre Cime nie są jedynie ścianami skalnymi. W dolinach Fiscalina i Campodidentro chaty i skoszone łąki górnej części doliny Pusteria ustępują kosodrzewinie i świerkom Parku Przyrodniczego Dolomiti di Sesto, w którym żyją kozice. Od wieków dolina Landro łączyła mówiących po niemiecku mieszkańców gór z Sesto, San Candido i Dobiacco z ich sąsiadami z dolin regionu Veneto.

Te góry stały się w latach 1915–1917 polem bitwy. Przełęcz Lavaredo, Monte Piana i żleby Cima Undici były świadkami starć pomiędzy włoskimi wojskami alpejskimi, piechotą i regularnymi oddziałami a cesarskimi *Landschützen*. Na Cime Grande Włosi zainstalowali wówczas reflektor. W lipcu 1915 roku skała zrzucona przez członka oddziałów alpejskich zabiła Seppa Innerkoflera, przewodnika z Sesto, który dokonał wielu wspaniałych wejść. Powstałe w okresie wojny tunele i przejścia, z których wiele odnowiono, nadal pozwalają badać masyw i jego historię.

80–81. Północno-zachodnia ściana Monte Civetta szerokości trzech mil i wysokości prawie 1220 m należy do najbardziej niedostępnych w Dolomitach. Punta Tissi (2992 m), Pan di Zucchero (2726 m), Torre di Valgrande (2714 m) i Torre d'Alleghe (2649 m) widać na zdjęciu na lewo od najwyższego szczytu.

80 u dołu. Schronisko Tissi i pobliski, pokryty trawą szczyt Col Reàn, są doskonałymi punktami widokowymi, pozwalającymi podziwiać widowiskowe zachody słońca w Dolomitach. Centralną część ściany północno-zachodniej przeciętą drogą Solledera-Lettenbauera widać z lewej strony, po prawej zaś Cima De Gasperi (2994 m) i Cima Su Alto (3042 m).

81 u góry. Wschodnia ściana Monte Civetta wznosząca się nad doliną Zoldo nawet w zimie nie ma tak przerażającego wyglądu jak ściana północna. Normalna droga otwarta w 1867 roku przez brytyjskiego alpinistę Francisa Foxa Tucketta, któremu towarzyszyli szwajcarscy przewodnicy Melchior i Jakob Andereggowie, pnie się wzwyż po tej stronie góry.

81 u dołu. Szczyt Monte Civetta oglądany z Palafavera i dolnej części doliny Zoldo wygląda znacznie bardziej elegancko. Za grzbietem otwiera się przepaść ściany północno-zachodniej.

82–83. Ze schroniska Lagazuoi rozlegają się wspaniałe widoki Dolomitów. Północne ściany Monte Pelmo (z lewej) i Monte Civetta widać w tle za Averau, Nuvolau i Croda da Lago.

Monte Civetta

WŁOCHY

Najtrudniej dostępna ściana Dolomitów znajduje się na wschodnim krańcu grupy. Tworzą ją Pale di San Martino i Marmolada, wznoszące się nad doliną Cordevole między Cencenighe i Alleghe oraz dominujące nad schroniskiem Tissi, pastwiskami i piargami doliny Civetta. Północno-zachodnia ściana Civetta, wysokości 1000 m i szerokości 4 km, ozdobiona niewielkim wiszącym lodowcem, kończy się szczytem wysokości 3220 m. Wejście na tę ścianę należy do najtrudniejszych w Alpach. Niewiele łatwiejsze są drogi na pobliskie szczyty Punta Tissi, Punta Civetta, Pan di Zucchero, Cima De Gaspari i Cima Su Alto. Dalej, na końcu skalnej ściany, wznoszą się: Busazza, Torre Venezia i Torre Trieste.

Pierwszego wejścia na Civettę dokonał w 1987 roku brytyjski alpinista Francis Fox Tuckett, któremu towarzyszyli szwajcarscy przewodnicy Melchior i Jakob Andereggowie. Osiągnęli oni szczyt, idąc po piargach i łatwych ścianach skalnych górujących nad doliną Zoldo. Jednak Ściana Północno-Zachodnia i jej potężni sąsiedzi byli świadkami przejścia wielu sławnych zdobywców Dolomitów. W 1925 roku dwóch Bawarczyków, Emil Solleder i Gustav Lettenbauer, przetarło pierwszy w historii szlak o VI stopniu trudności poprzez serce skalnej ściany. „Czy to, co widzę, istnieje naprawdę? Nigdzie w Alpach nie widziałem takiej ściany skalnej", zanotował Solleder. Spadające kamienie i burze sprawiły, że jego wejście miało dramatyczny przebieg.

Wyczyn Solledera przyciągnął do Civetty najlepszych wspinaczy Dolomitów, poczynając od Attilio Tissiego, Domenico Rudatisa oraz Giovanniego i Alvise Andrichów z regionu Veneto. W 1931 roku Emilio Comici, alpinista z Triestu, przetarł szlak biegnący w lewo od drogi Solledera. Inni wybitni alpiniści, wśród których byli Riccardo Cassini z Lecco, Celso Gilberti z Trentino, Ettore Castigloini z Mediolanu i Raffaele Carlesso z Vicenzy skupili swoje wysiłki na Torre Venezia i Torre Trieste.

Jednak najwspanialszą drogę otwarto w 1957 roku, kiedy alpiniści austriaccy Walther Phillipp i Dieter Flamm, biwakując dwukrotnie, wspięli się na wielki dwuścian Civetty, który sięga grani szczytowej przy Punta Tissi. Reinhold Messner, który dokonał pierwszego solowego wejścia tą trasą opisał ją jako „fantastyczną drogę".

W 1963 roku, alpinista z Friuli, Ignazio Pussi, Lombardczyk Giorgio Radaelli i Bawarczyk Toni Hiebler dokonali niezwykle trudnego pierwszego wejścia zimowego drogą Solledera. Tego samego wyczynu dokonał samotnie alpinista z Lecco, Marco Anghileri w 1999 roku.

Marmolada

WŁOCHY

Najwyższym szczytem Dolomitów wznoszącym się na granicy prowincji Belluno i Trento na wysokość 3343 m jest Punta Penia (Marmolada), który od północy opada ku największemu lodowcowi pasma. Ze szczytu rozciąga się wspaniała panorama jeziora Fedaia, przełęczy Sella i ścieżki Viel del Pan prowadzącej w górę do przełęczy Pordoi. Południowa ściana Marmolady, górująca nad głęboką doliną Ombretta, zboczami przełęczy o tej samej nazwie i schroniskiem Falier, jest jedną z najbardziej stromych, najgładszych i najokazalszych ścian skalnych w całych Alpach.

Wśród alpinistów Marmolada cieszy się bardzo dużą popularnością. Zawdzięcza to swojej wysokości i względnej łatwości, z jaką pokonuje się jej pokryte lodem zbocza. Szczyt „Królowej Dolomitów", podobnie jak wiele innych szczytów tego pasma, został zdobyty przez wiedeńczyka Paula Grohmanna, który dotarł do Punta Penia w 1864 roku wraz z przewodnikami z Ampezzo, Angelo i Fulgenzio Dimai.

Na ogromną, gładką południową ścianę szerokości 4 km i wysokości dochodzącej do 1000 m jako pierwsza wspięła się brytyjska alpinistka Beatrice Tomasson, której towarzyszyli przewodnicy Primiero Meichele Bettega i Bortolo Zagonel. W okresie miedzywojennym Punta Penia przyciągała wielkich alpinistów, takich jak Gino Soldà, Luigi Micheluzzi i Hans Vinatzer a od lat 70. XX wieku stała się polem treningowym dla poważnej wspinaczki skalnej, z dziesiątkami tras, z których niektóre są IX i X stopnia trudności. Dla współczesnych alpinistów takie trasy jak Tempi Moderni, Via dell'Ideale i Via Attraverso il Pesce są prawdziwymi majstersztykami.

Jednak relacje człowieka z tą górą nie ograniczają się do wspinaczki po lodzie i skałach. W latach 1915–1917 jej

84–85. Południowa ściana Punta Penia stanowi tło drogi przeznaczonej dla wyposażonych w narty turystów, prowadzącej do przełęczy San Nicolò.

84 u dołu. Ciemna piramida Punta Penia, wznosząca się za przełęczą Ombretta, dominuje nad łąkami i lasami Doliny San Nicolò. Południowa część Marmolady (na zdjęciu z prawej), pasma, które tworzą Cime Ombretta, Sasso di Valfredda i Cima dell'Uomo, wydłuża się w kierunku przełęczy San Pellegrino.

88–89. Klasyczna droga na Punta Penia zainaugurowana w 1864 roku przez pochodzącego z Wiednia Paula Grohmanna i przewodników z Ampezzo, Angelo i Fulgenzio Dimai, prowadzi w górę szerokiego oblodzonego żlebu, widocznego na lewo od skalistego trójkata w środku zdjęcia.

89 u dołu. W zimie krzyż i mała chata na szczycie Punta Penia, bardzo popularne wśród alpinistów wspinających się tradycyjną trasą, drogą typu via ferrata na zachodniej grani i trudnymi trasami na południowej ścianie, stają się osamotnione i odległe.

90–91. Okazały wapienny masyw Triglava (po włosku Tricorno), wysokości 2864 m, stanowiący symbol młodej Republiki Słoweńskiej, wznosi się w sercu parku narodowego noszącego jego nazwę i zajmującego ponad 800 km². Jest to jedna z najczęściej zdobywanych gór w Europie.

90 u dołu. Chociaż najtrudniejsze i najsłynniejsze trasy wspinaczkowe powstały w paśmie granicznym, w szczególności na Piccolo Mangart di Coritenza, to ściany i granie Triglava również przecinane są dziesiątkami tras. Ściana północna wysokości przekraczającej 1000 m została zdobyta w 1890 roku przez Ivana Berginca.

91. Woda deszczowa spadająca na Alpy Julijskie powraca na powierzchnię ziemi w postaci krystalicznie czystej wody źródlanej. Źródła rzeki Isonzo (nazywanej w Słowenii Soca) biją w dolinie Trenta, między Jalovcem a Triglavem, po czym rzeka kieruje się na południe ku Kobaridowi (Caporetto), ku granicy włoskiej i Adriatykowi.

Triglav

SŁOWENIA

Na fladze tylko jednego państwa widnieje stylizowana sylwetka góry. Decyzja, by Triglav stał się herbem młodej Republiki Słowenii bardzo wiele mówi o wadze gór w kraju, w którym co dwudziesty mieszkaniec uprawia turystykę górską lub alpinizm, w którym temat gór stanowi istotną część programu szkolnego, a narciarstwo może poszczycić się długą i ważną tradycją.

Wznoszący się na 2864 m Triglav (po włosku Tricorno) jest najwyższym szczytem Alp Julijskich, imponującego wapiennego pasma, górującego nad równiną Friuli, leżącą po stronie południowej i zalesionymi graniami Alp Karnijskich oraz austriackim regionem Karyntia (Kärnten) dalej na północ. Wielką górę otacza Triglavski Park Narodowy o powierzchni 811 km^2, w którym zamieszkuje jedna z największych w Europie populacji niedźwiedzi oraz koziorożce, orły, jelenie europejskie i inne gatunki dużych zwierząt alpejskich.

Kolejnymi szczytami Alp Julijskich w kierunku zachodnim są Jalovec i Razor oraz Jof di Montasio w Słowenii i Jof Fuart we Włoszech. W grani granicznej wyróżniają się szczyty Veunza i Mangart, gdzie od lat 30. XX wieku alpiniści przetarli jedne z najtrudniejszych tras wspinaczkowych w Alpach Wschodnich. Trasa na Piccolo Mangart di Coritenza (Mali Koritniski Mangart) otwarta w 1970 roku bez pomocy przez pochodzącego z Triestu alpinisty Enzo Cozzolino i powtórzona 12 lat później solo w zimie przez Renato Casarotto z Vicenzy jest jedną z pierwszych dróg o VII stopniu trudności w Alpach.

Na szczyt Triglava, na który wspięło się w 1778 roku czterech alpinistów z Bohinj, każdego lata wchodzi tysiące entuzjastów wspinaczki ze Słowenii i Europy łatwą trasą z kilkoma odcinkami typu *via ferrata*. Jednak „dach Słowenii" ma też swoją budzącą respekt i nieprzystępną ścianę północną wysokości prawie 1000 m, na którą po raz pierwszy wspiął się z Doliny Trenta Ivac Berginc w 1980 roku.

Obecnie wyposażona w haki trasa łącząca najsłynniejsze schroniska Triglava (Aljazev Dom i Triglavski Dom) schodzi w dół ściany po lewej stronie, umożliwiając podziwianie dzikiego piękna góry. Z kolei płyty i boczne granie środkowej części ściany przecinają skrajnie trudne trasy. Większość z nich została otwarta przez takich alpinistów jak Francek Knez i Tomo Cesen, którzy dokonali wielkich wyczynów również w Patagonii i Himalajach.

Pionowa krawędź Sphinxa jest razem z niedźwiedziami, lasami i tłumami wspinaczy jednym z najpiękniejszych i najbardziej charakterystycznych obrazów Triglava.

92–93. Triglav i inne szczyty Alp Julijskich są wystawione na wiejące z pełną siłą lodowate wiatry z północnego zachodu, wskutek czego klimat tych gór jest chłodniejszy niż wynikałoby to z ich wysokości. Zimowe wejścia w tym paśmie zawsze były niezwykle wyczerpujące.

Triglav

93. Od listopada do końca maja szczyty Triglava są pokryte grubą pokrywą śniegu. Narodowa pasja Słoweńców do turystyki górskiej jest także widoczna w zimie, kiedy urodzeni w tych dolinach narciarze często triumfują w zjazdach, biegach i skokach narciarskich.

Etna

WŁOCHY

Z najwyższego wulkanu w regionie Morza Śródziemnego rozlega się widok na Katanię, wybrzeże Taorminy i pokryte lasami pasmo Nebrodi, ciągnące się w głąb lądu ku sercu Sycylii. Jednak Etnę, z jej pióropuszem dymu widać z Reggio Calabria i masywu Aspromonte we Włoszech kontynentalnych. Kiedy wieje wiatr od Morza Jońskiego, samoloty lądujące w Katanii okrążają wulkan, umożliwiając zobaczenie jego niezwykłych kraterów.

Etna była sławna już w czasach starożytnych. Badał ją Empedokles, filozof z Akragas, który obserwował gwałtowną erupcję wulkanu w 475 roku p.n.e. i później wspiął się na górę, by przyjrzeć się jej z bliska. Według legendy również cesarz rzymski Hadrian dotarł do kraterów Etny. Tradycyjna sycylijska nazwa wulkanu, Mongibello, przywołuje wielowiekowe panowanie muzułmanów na wyspie (*dżebel* oznacza po arabsku górę). W 1787 roku na Etnę wspiął się Goethe, zatrzymując się przy podwójnym stożku Monti Rossi. Geolog Déodat de Dolmieu zajrzał do wnętrza krateru „oświetlonego od wewnątrz dziwnym białym światłem".

Od 745 roku p.n.e. odnotowano 140 erupcji wulkanu, przy czym przeciętnie co 20 lat następuje duży wybuch. W 1669 roku, pomimo licznych procesji i modłów, roztopiona lawa zniszczyła Katanię i dotarła do morza. Wielki pisarz włoski Leonardo Sciascia tak określił znajomość wulkanu i brak zaufania mieszkańców wyspy do niego: „Jest on jak ogromny kot domowy spokojnie mruczący, ale od czasu do czasu budzi się, ziewa, przeciąga się leniwie i uderzeniem łapy niszczy dolinę to tu, to tam, zmiata miasta, winnice i ogrody". Etna jest żywą górą, zmieniającą się każdego dnia. Obecnie jej najwyższą (3320 m) gardzielą jest północno-wschodni krater. Stary krater centralny jest uśpiony, z Bocca Nuova zaś unoszą się leniwie spiralne smugi dymu. Krater południowo-wschodni znajdujący się w środku najnowszych erupcji, budzi się co dwa lub trzy dni, tryskając lawą i wyrzucając bomby rozżarzonej masy o wadze 100 kg, które potrafią przelecieć odległość 100 m.

Większość ludzi zwiedzających Etnę, która znajduje się obecnie pod ochroną najświetniejszego parku regionalnego na Sycylii, wjeżdża na wulkan samochodami terenowymi na wysokość około 300 m, ale turyści w towarzystwie przewodników mogą iść dalej, aż do kraterów lub obejść wulkan wokół w trzy dni. W zimie narciarze mogą korzystać z tras narciarskich Zafferana i Linguaglossa lub zjeżdżać z wulkanu po skosie. Czyste zimowe powietrze pozwala zobaczyć Kalabrię i wyspy Lipari.

94. Żużlowe otwory stożków Monti Rossi powstałe podczas gwałtownych erupcji w XVII wieku znajdują się w pobliżu drogi prowadzącej w górę Etny od Zafferana Etnea do schroniska Sapienza.

94–95 i 95 u dołu. Szczyt Etny dominuje nad uformowanym z lawy na południowej ścianie tarasem. Tutaj w okresach wzmożonej aktywności tworzą się rozpadliny i otwierają małe wtórne kratery plujące lawą. Krater północno-wschodni jest obecnie najwyższym (3320 m) punktem Etny.

96–97. Ostatnio aktywność Etny skupia się w Bocca Nuova i kraterze południowo--wschodnim, ale z żużlowych stożków otwierających się w górnej części wulkanu również wypływają strugi lawy i wyrzucane są ogniste „bomby".

98–99. Lawa wypływająca z kraterów Etny i żużlowych stożków jest jednym z najbardziej ekscytujących widowisk stworzonych przez naturę w Europie, odbywającym się bezustannie od około 600 000 lat.

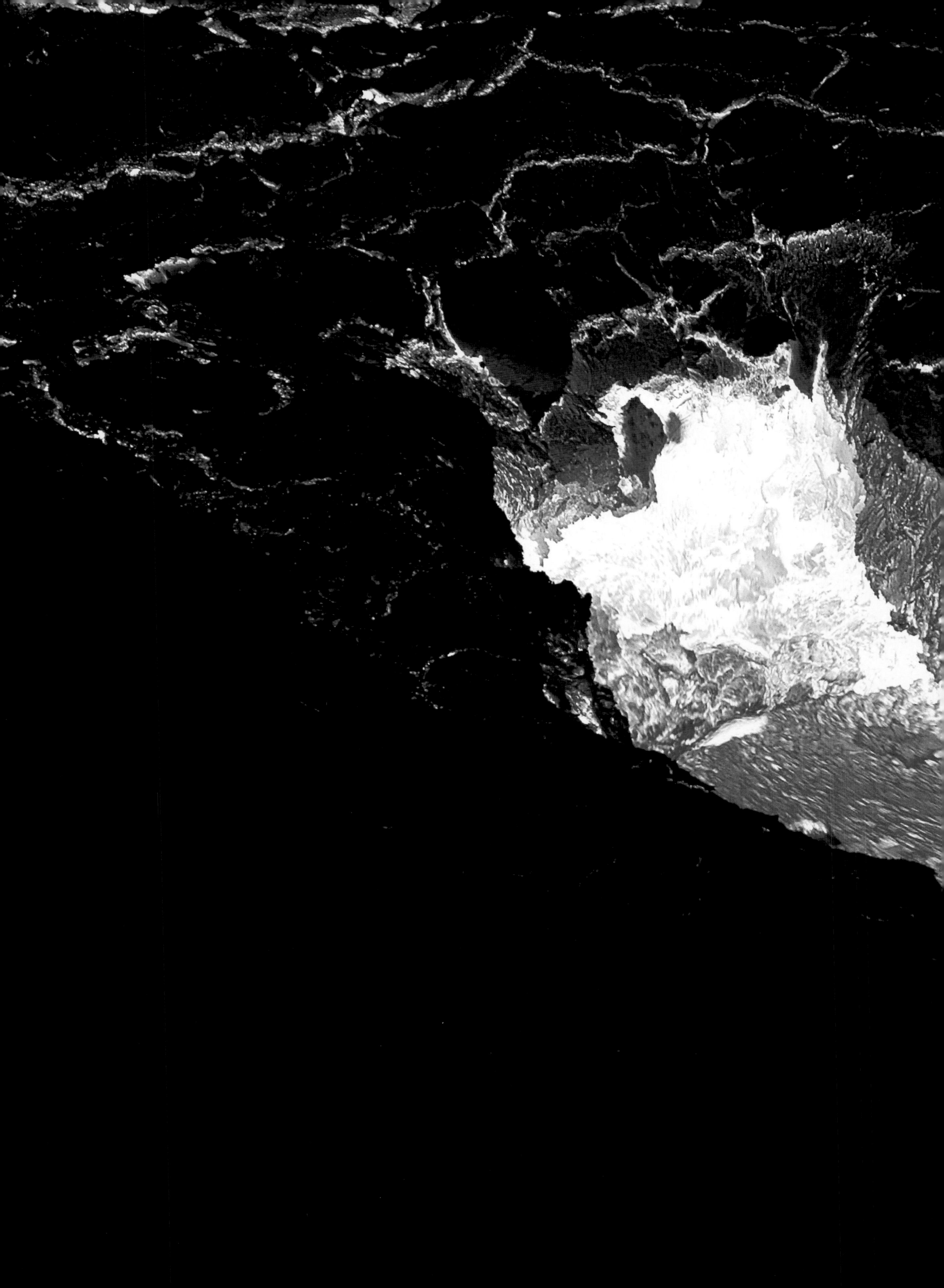

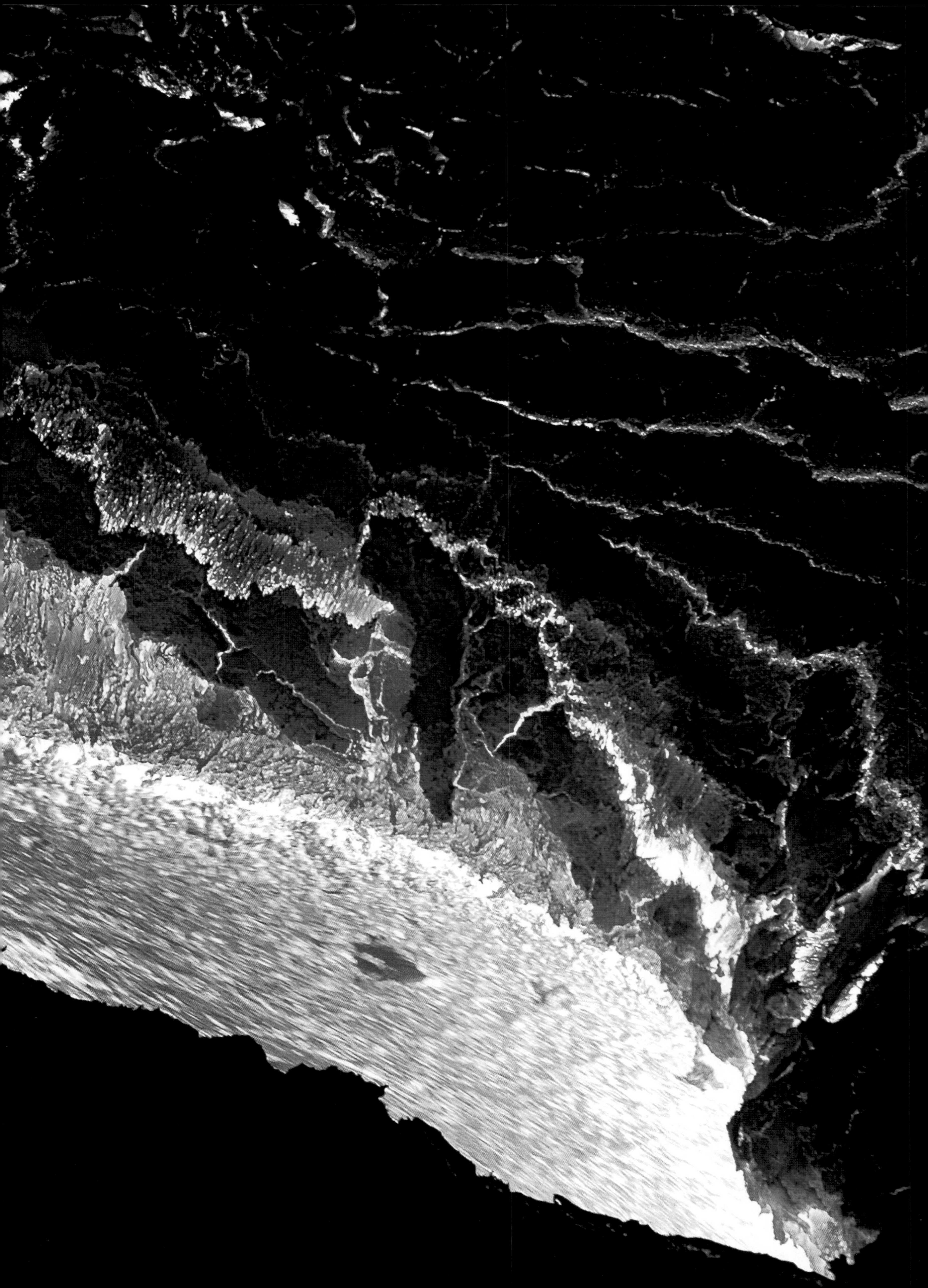

100–101. W zimie północne zbocze Olimpu – znacznie mniej interesujące dla alpinistów i turystów od wschodniego – jest ulubionym miejscem miłośników turystyki narciarskiej, ale plany wybudowania tutaj nowych wyciągów narciarskich od dawna budzą wątpliwości greckich i międzynarodowych obrońców środowiska.

Góra Olimp

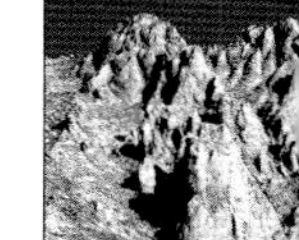

Góra Olimp

GRECJA

„Góra Zeusa" góruje nad Morzem Egejskim i ruinami Dionu, jednego z najważniejszych miast starożytnej Macedonii. Najwyższym szczytem wyniosłego i imponującego, porysowanego dzikimi parowami masywu Olimpu, a zarazem Grecji i Bałkanów jest Mytikas wysokości 2917 m. Główny szczyt o wapiennych zboczach otaczają niższe szczyty: Skolio (2912 m), Stefani (czyli „Tron Zeusa", 2909 m) i Skala (2866 m).

Zbocze masywu od strony morza, po której znajduje się kotlina Kazania, jest strome i dzikie, natomiast od strony zachodniej opada łagodniej, w kierunku Vryssopoulos, małej miejscowości wypoczynkowej dla narciarzy. Bliskość wybrzeża i szlaków egejskich sprawiła, że starożytni Grecy zaczęli uważać Olimp (co znaczy „Świetlisty" – dzięki połyskującym w zimie ośnieżonym szczytom) za mieszkanie Zeusa i innych bogów, którzy tutaj odnieśli decydujące zwycięstwo nad Tytanami.

Piękne, chociaż często kruszące się ściany wapienne przyciągają europejskich alpinistów od niemal stulecia. W 1913 roku pierwszego wejścia na Mytikas po łatwych do pokonania skałach dzisiejszej, już zwykłej trasy dokonali Szwajcarzy D. Baud-Bovy i F. Boissonnas, którym towarzyszył Grek K. Kakalos. W 1934 roku alpinista z Triestu, Emilio Comici, który słynął z wielkich wyczynów w Dolomitach, wspiął się na północno-wschodnią ścianę szczytu Stefani.

Jednak systematycznego spenetrowania skał masywu Olimpu dokonał Yorgos Mikhailidis, który w latach 50. i 60. XX wieku otworzył około 15 nowych dróg, często w ramach grupy razem z Kostasem Zolotasem, który przez wiele dziesięcioleci prowadził najczęściej odwiedzane tutaj schronisko. Dwie z tych tras, prowadzące przez zachodnią ścianę Mytikas, mają odcinki o VI stopniu trudności.

Olimp to nie tylko wapienne ściany i mitologia. Monotonnie opadające w kierunku Macedonii zbocze kontrastuje ze zboczem od strony Morza Egejskiego, porośniętego gęstymi pachnącymi lasami, w których rosnące na niższych wysokościach dęby ustępują w miarę zwiększania wysokości drzewom iglastym i krzakom jałowca. Park Narodowy Olimpu obejmujący obszar 445 km^2 jest dzięki swoim cechom geologicznym oraz florze i faunie jednym z najczęściej odwiedzanych miejsc w Grecji.

Chociaż na wapiennych zboczach nie spotka się wielu ludzi, to każdego roku tysiące turystów z Salonik, Aten i całego świata wspina się na masyw z Litochoro na Mytikas i inne najwyższe szczyty. W latach 90. XX wieku miłośnicy gór przeprowadzili udaną akcję w celu ochrony środowiska, blokując godny ubolewania pomysł zbudowania u stóp Olimpu Disneylandu, z którego miałaby prowadzić na szczyt kolejka linowa.

102 u góry. Szczyty Skala (2866 m), Mytikas (2916 m) i Stefani (2909 m) dominującą nad znajdującą się po tej stronie góry dziką kotliną Kazani („Rondel"), która zwrócona jest ku wiosce Litochoro i Morzu Egejskiemu.

102 u dołu. W wyniku erozji przez tysiące lat w stromych ścianach dolin wznoszących się ku szczytom Olimpu od strony Litochoro powstały iglice. Skały masywu są kruche, również na trasach wspinaczkowych prowadzących na szczyty Mytikas i Stefani.

102–103. Stefani jest trzecim pod względem wysokości szczytem Olimpu po Mytikas i Skolio. Pierwszym alpinistą, który przetarł szlak przez pionową ścianę zachodnią był w 1934 roku pochodzący z Triestu Emilio Comici.

AFRYKA

Myśląc o Afryce wyobrażamy sobie scenerię i krajobrazy zupełnie inne niż górskie. Są to raczej sawanny Masai Mara i Serengeti, piaski Kalahari i Sahary czy lasy tropikalne Konga. Mamy przed oczyma wspaniałe i nieokiełznane światy zamieszkane przez słonie i lwy lub takie, w których nawet dzisiaj ludzie podróżują, korzystając z wielbłądów lub dłubanek. Nasz obraz uzupełniają resztki tego, co pozostało po naszych najwcześniejszych przodkach, starożytnych cywilizacjach Egiptu, muzułmańskiej Afryki Północnej i koptyjskiej Etiopii, mozaika grup etnicznych i niezliczone problemy, z którymi borykają się dzisiaj miasta i narody Czarnego Lądu.

Jednak Afryka jest kontynentem górzystym. Od grzbietów Atlasu oddzielającego brzegi Morza Śródziemnego od Sahary po Górę Stołową górującą nad Kapsztadem Afryka może pochwalić się niezwykłą różnorodnością pasm, płaskowyżów, skalistych iglic i samotnie stojących wulkanów. Kilka z tych gór jest sławnych, ale choć większość jest praktycznie nieznana, to wszystkie stanowią miejsca, w których można znaleźć fascynującą florę i faunę i które były sceną wielkich przygód badaczy oraz zdobywców gór.

Niektóre ze szczytów Afryki leżą w pobliżu miejsc o wielkim znaczeniu dla człowieka. Toubkal i inne szczyty marokańskiego Atlasu stanowią tło dla starożytnych miast Marrakesz, Meknes i Fez. Ras Dashen, najwyższy szczyt Etiopii, wznosi się w pobliżu skalnych kościołów Lalibeli, a skaliste szczyty Adwa były świadkiem straszliwej bitwy stoczonej w 1896 roku między armią etiopską a oddziałami włoskimi.

Najbardziej niezwykłe prehistoryczne malowidła naskalne kontynentu odkryto w Tassili n'Ajjer w Algierii i w Tadrart Acacus w Libii. Iglice Ahaggar i Aïr w Nigrze stanowią tło dla cywilizacji Tuaregów, cywilizacje zaś Masajów, Kikuju i białych kolonistów z początków XX wieku rozwinęły się u stóp góry Kenia. Z kolei pełna chwały historia Zulusów rozegrała się u podnóży Gór Smoczych.

Inne szczyty afrykańskie są bardziej odizolowane, otoczone jedynie nieokiełznaną przyrodą. Wokół pasma Ruwenzori, na granicy między Ugandą a Demokratyczną Republiką Kongo oraz w pobliżu wulkanów Wirunga, będących siedzibą ostatnich w Afryce goryli górskich, rośnie gęsty las tropikalny. Na Tibesti, najwyższy masyw Sahary o rozgrzanych do czerwoności przez palące słońce skałach, można dotrzeć jedynie po niemal niekończącej się podróży z Libii lub Czadu.

Inne pustynie, w których na zmianę występują kamienie i piasek, stanowią tło dla Spitzkoppe, najwyższej góry w Namibii i południowoafrykańskiego pasma Cedarberg, natomiast ścięty stożek Kilimandżaro, najwyższego szczytu kontynentu, wznosi się wysoko ponad sawannami kenijskiego Parku Narodowego Amboseli, które zamieszkują słonie, antylopy i lwy. Takie obrazy tworzą nadal legendę Afryki.

104 z lewej. Najwyższy punkt Ol Doinyo Lengai, jedynego czynnego wulkanu w Afryce Wschodniej w Tanzanii, znajduje się na wysokości 2886 m.

104 pośrodku. Wschodnia ściana Garet El Djenoun w Algierii ma dwie ogromne iglice osiągające wysokość 2330 m.

104 z prawej. Mount Baker wznosi się na wysokość 4844 m ponad doliną Buyuku w Parku Narodowym Gór Ruwenzori.

105. Leżąca około 4603 m poniżej Kilimandżaro (5894 m) tanzanijska sawanna jest królestwem dzikich zwierząt.

Garet el Djenoun

ALGIERIA

Sahara to nie tylko piaskowe wydmy i oazy. Rozciągająca się od Atlantyku po Morze Czerwone i od Morza Śródziemnego po Sahel największa pustynia świata zawiera w sobie również kilka zaskakująco skalistych masywów. W Nigrze piaskowcowe wieże masywu Aïr wznoszą się niedaleko od Agadez i piasków saharyjskiego regionu Ténéré. W Mali znajdują się iglice Hombori, w wulkanicznym zaś masywie Tibesti, leżącym pomiędzy Libią a Czadem, wznoszą się najwyższe szczyty wielkiej pustyni. Inne skaliste szczyty znajdują się w Libii, Mauretanii i Egipcie, między Nilem a Morzem Czerwonym.

Najbardziej interesujące z tych wszystkich gór można znaleźć na „Wielkim Południu" Algierii. W regionie Tassili n'Ajjer, na granicy z Libią, tysiące malowideł naskalnych powstających od ok. 8000 roku p.n.e. ilustruje kulturę ludów Sahary oraz ewolucję klimatu i fauny pustyni. Dalej na północ, blisko Tamanrasset, położone są granitowe szczyty Ahaggar, od dziesięciolеci stanowiące wyzwanie dla europejskich alpinistów.

Na górę Tahat (2918 m), najwyższy punkt Algierii, można wspiąć się bez trudności, ale ściany i postrzępione granie Tehoulaig, Saouinan, Ilamane i Daouda wymagają od alpinistów dużych umiejętności przy wspinaniu się wśród najwspanialszej afrykańskiej scenerii. Na kolejnym łatwym szczycie, Askerem, znajduje się pustelnia zbudowana w 1905 roku przez ojca Charles-Eugène de Foucauld, w której ten asceta (były żołnierz) został zabity przez grupę libijskich rebeliantów.

Najsłynniejszy i najgroźniejszy szczyt Sahary leży nieco na północ od Ahaggar, w masywie Tefedest. Znany jest jako Garet el Djenoun, „Góra Duchów" i osiąga wysokość 2330 m. Garet el Djenoun, otoczony przez rumowiska skalne i wydmy oraz stojące obok monolityczny Takouba i okazałą bryłę Acoulmou, może poszczycić się kilkoma bardzo trudnymi trasami przetartymi przez alpinistów francuskich i hiszpańskich.

Najsłynniejszym szlakiem pozostaje jednak skomplikowana trasa klasyczna, wyznaczona w 1935 roku przez Rogera Frison-Roche z Chamonix i kapitana Raymonda Coche. Droga wejścia prowadzi na zmianę między płytami i gładkimi rozpadlinami i półkami zamieszkanymi przez muflony. Ci dwaj alpiniści francuscy, w całkowitym odosobnieniu, spragnieni i podekscytowani, musieli przed wejściem na szczytowy płaskowyż pokonać odsłonięty komin, kruszącą się płytę i półkę, na której rośnie dzikie drzewko oliwne. „Żeglowaliśmy w sercu Atlantydy na pokładzie najbardziej monstrualnego statku, jaki mogła wymyśleć nasza wyobraźnia" – skomentował Frison-Roche w swoich *Carnets Sahariens*.

106–107. Stroma północna ściana Garet el Djenoun wznosi się nad piaskami, skałami i drzewami akacjowymi Oued Ariaret, znajdującymi się u stóp masywu Tefedest, należącego do najbardziej malowniczych na algierskiej Saharze.

107 u dołu. Góra, której arabska nazwa oznacza „Górę Duchów", osiąga wysokość 2330 m.

108–109. Czyste światło brzasku podkreśla elegancję Ahaggar, będącego najbardziej malowniczym pasmem na algierskiej Saharze, wznoszącego się kilka kilometrów od odwiedzanego przez karawany miasta Tamanrasset. Widoczny w środkowej części zdjęcia porysowany rozpadlinami i filarami szczyt to Południowy Tezoulag, na którym wyznaczono wiele trudnych tras.

AFRYKA

Nyiragongo

Nyiragongo

DEMOKRATYCZNA REPUBLIKA KONGA

Jeden z najaktywniejszych wulkanów świata wznosi się w pobliżu Goma i jeziora Kiwu w Demokratycznej Republice Konga. Nyiragongo (3470 m) leży w wulkanicznym paśmie Wirunga, ciągnącym się wzdłuż granic Konga, Rwandy i Ugandy. Kulminacyjnym punktem pasma jest wierzchołek Karisimbi (4507 m). Obejmuje ono również szczyty Mikeno, Sabinyo, Visoke, Muhavura i Mgahinga Nyamulagira. Niższy od innych szczytów wulkan dokonał swoimi gwałtownymi erupcjami dewastacji w regionie, który od dawna przyciąga wulkanologów.

„Po każdym wstrząsie wściekłości następował krótki moment spokoju. Gęsty brązowy lub niebieski dym unosił się spiralnie w górę, a ogłuszający łoskot, podobny do szczekania monstrualnego psa wstrząsał całym wulkanem. Nie było jednak czasu na uspokojenie nerwów, ponieważ zbliżał się nowy, nagły wstrząs, kolejna eksplozja, powrót żaru i początek nowego gradu pocisków. Kule rozżarzonej lawy, bucząc wylatywały w górę". W ten sposób francuski wulkanolog Haroun Tazieff opisał erupcję Kituro, stożka piroklastycznej skały, który otworzył się zaledwie kilka tygodni wcześniej między Nyamulagira a Nyiragongo. *Cratères en Feu* (1951), książka, w której opisuje swoje afrykańskie badania, stanowi klasyczną pozycję wulkanologiczną i przygodową.

Wirunga – „ogniste miejsce" lub „patelnia" w języku kinyarwanda, jednym z najpopularniejszych w tym regionie, służy do określenia wszystkich szczytów pochodzenia wulkanicznego. Było więc nieuniknione, że cały wulkaniczny region na północ od jeziora Kiwu został w końcu tak nazwany. Imponująca góra Nyiragongo od dawna przyciąga ludzi. Jeśli wewnętrzne konflikty i wojny domowe nie uniemożliwiają dostępu do Konga, to po pięciogodzinnej wędrówce po

110–111. Budząca grozę chmura dymu unosząca się nad kraterem Nyiragongo podczas erupcji, jaka miała miejsce w 2003 roku. Wulkan wysokości 3470 m góruje nad miastem Goma i Parkiem Narodowym Wirunga.

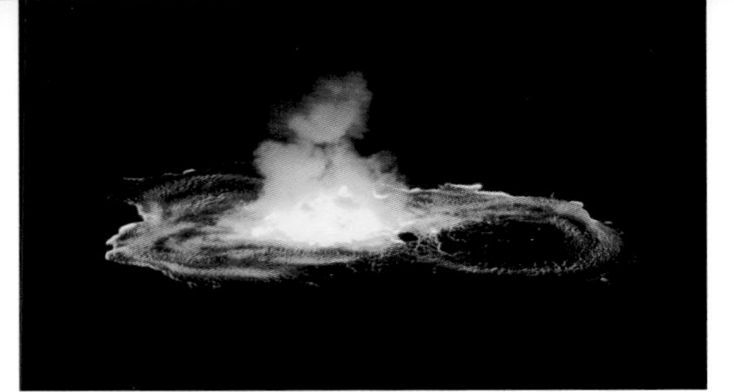

Nyiragongo

utworzonych z lawy zboczach i fumarolach można dojść do wspaniałej kaldery o średnicy 500 m otoczonej 200-metrową ścianą i oświetlonej rozżarzonymi strugami lawy. Po dziesiątkach lat spokoju wulkan wybuchł w 1996 roku i ponownie w 2001, zagrażając Gomie i okolicznym miastom.

O ile aktywność wulkaniczna jest główną atrakcją Nyamulagira i Nyiragongo, to położone najbardziej na wschód wulkany pasma Wirunga są wygasłe i porośnięte gęstymi lasami, stanowiącymi habitat goryli górskich, o których ocalenie walczyła amerykańska zoolog Dian Fossey, za co została zabita. Plany ochrony przyrody od dawna istniały we wszystkich trzech państwach regionu. Obecnie najlepszym miejscem obserwacji tych zwierząt jest Rezerwat Bwindi w Ugandzie. Bliskie spotkanie z gorylami górskimi jest równie wzruszające jak widok spływającej z Nyiragongo lawy.

112 u góry. Podczas erupcji budzące grozę jezioro rozżarzonej lawy tworzy na Nyiragongo olbrzymią kalderę o średnicy przekraczającej 490 m i głębokości 200 m.

112 u dołu. W czasie, gdy najwyższe warstwy lawy zaczynają krzepnąć, przez pęknięcia można zaobserwować roztopioną skałę nadal płynącą pod powierzchnią. To zdjęcie wykonano w styczniu 2002 roku podczas jednego z okresów największej aktywności Nyiragongo.

112–113. Lawa wytryskująca z dna oświetla krater i całą górną część Nyiragongo. Podobne widowisko tworzy również Nyamulagira (3062 m), kolejny wulkan, do którego można dotrzeć po półtoradniowej wędrówce od drogi łączącej Goma i Beni.

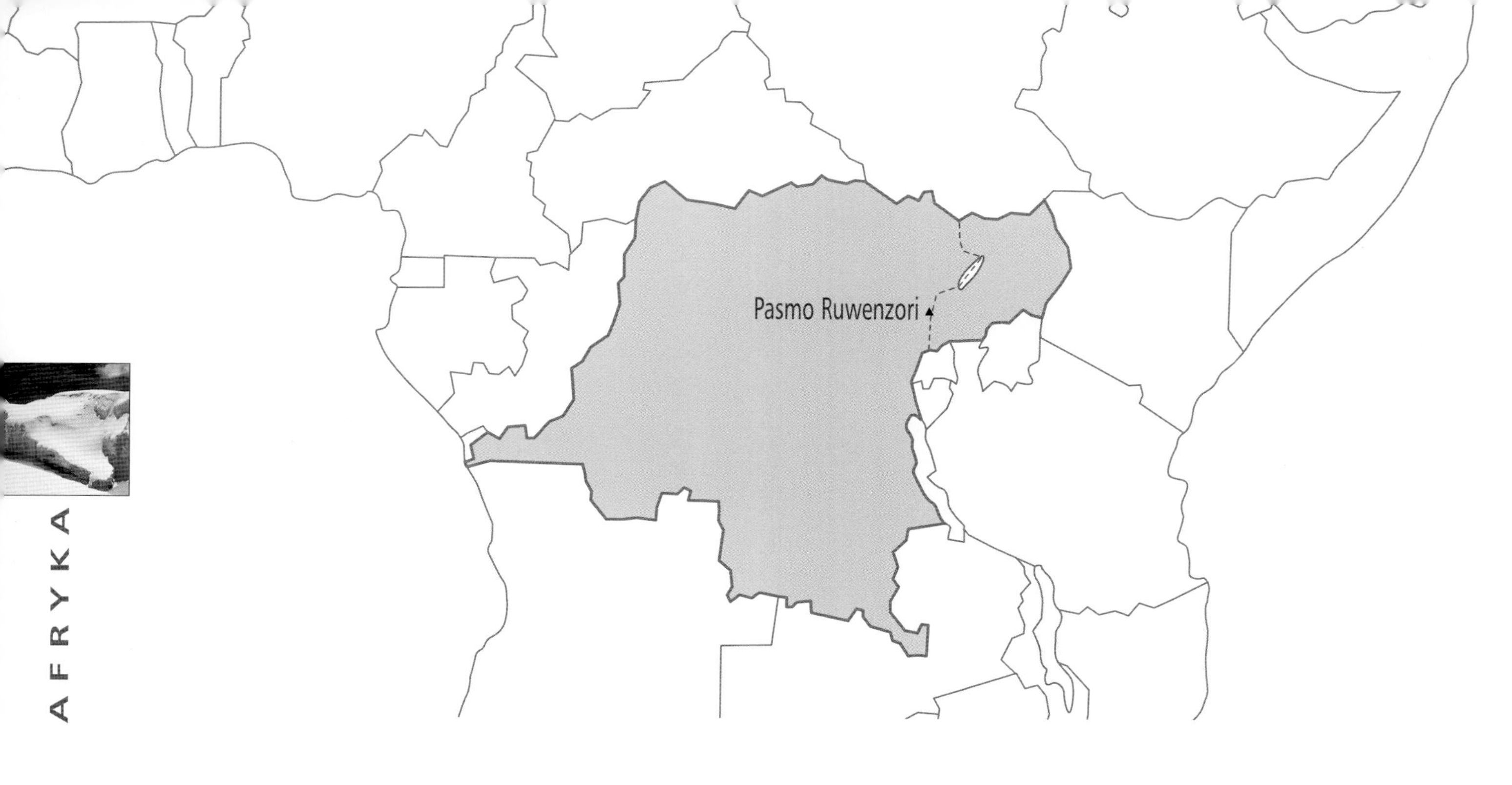

Pasmo Ruwenzori

UGANDA–DEMOKRATYCZNA REPUBLIKA KONGA

Panteon europejskich koronowanych głów panuje nad najdzikszym masywem górskim Afryki. Dawną granicę między koloniami brytyjskimi i belgijskimi, oddzielają obecnie Ugandę od Demokratycznej Republiki Konga, wyznacza pasmo Ruwenzori, trzecie pod względem wysokości na tym kontynencie. Jego kulminację stanowi szczyt Margherita (5109 m), piramida zbudowana ze skał i lodu, poświęcona włoskiej królowej, która zakochała się w Monte Rosa. Niewiele dalej znajdują się kilka metrów niższe inne wyżłobione wiatrem skalne szczyty pokryte lodem upamiętniają brytyjską królową Aleksandrę i króla Belgów Alberta. Kilka pomniejszych szczytów wznoszących się nad zamglonymi dolinami Mokubu i Bukuju poświęconych jest członkom dynastii sabaudzkiej: Humbertowi, Wiktorowi Emmanuelowi, Jolancie i Helenie. Jeden nazwany jest na cześć Ludwika Amadeusza Sabaudzkiego, księcia Abruzzów, który pierwszy wspiął się na Ruwenzori.

Biały człowiek zobaczył te góry po raz pierwszy w 1888 roku. Był to amerykański badacz Henry Morton Stanley, który przybył tutaj ze swoją ekspedycją. Pisał on: „Chłopiec skierował mój wzrok na górę, o której mówiono, że jest pokryta solą. Zobaczyłem dziwnego kształtu chmurę o pięknej srebrzystej barwie, która miała proporcje i wygląd ogromnej góry pokrytej śniegiem... Potem, kiedy spojrzałem niżej na przerwę między wschodnim a zachodnim płaskowyżem, uświadomiłem sobie po raz pierwszy, że to, na co patrzę, nie jest obrazem czy pozorem ogromnej góry, ale materialną bryłą prawdziwego szczytu pokrytego śniegiem". W ten sposób legenda „Gór Księżycowych" opowiedziana przez Ptolemeusza okazała się prawdziwa.

Inni podróżnicy odkryli, że Ruwenzori jest skomplikowanym pasmem składającym się z 6 różnych masywów i 25 szczytów przekraczających wysokość 4000 m i opisali bajkową roślinność pokrywającą jej zbocza. Ludwik Amadeusz dotarł do pasma w 1906 roku i wspiął się na szczyt Margherita. Szli wraz z nimi przewodnicy z Courmayeur, Joseph i Laurent Pétigax, César Ollier i Joseph Brocherel. Ich wyprawa zdobyła wszystkie najwyższe szczyty, a sławny fotograf Vittorio Sella wykonał wspaniałe zdjęcia szczytów, lasów i lodowców.

W ciągu następnych dziesięcioleci inni alpiniści dokonali wejść na najtrudniejsze ściany i po obu stronach pasma Ruwenzori zbudowano kilka schronisk. Jednak niesprzyjający klimat, trudne i błotniste ścieżki oraz wojny nękające Ugandę i Demokratyczną Republikę Konga (przez kilka dziesięcioleci Zair) spowodowały, że masyw nie jest tak popularnym celem dla turystów jak Kilimandżaro czy góra Kenia. Trzeci pod względem wysokości masyw Afryki, znajdujący się pod ochroną Parku Narodowego Wirunga po stronie kongijskiej i Parku Narodowego Gór Ruwenzori po stronie ugandyjskiej, pozostaje niezwykłym celem dla poszukiwaczy przygód.

114. Zachodnia strona pasma Ruwenzori jest bardziej stroma od zboczy opadających po stronie ugandyjskiej. Można do niej dotrzeć z miasta Beni w Demokratycznej Republice Konga. Dotarcie do szczytów Margherita i Aleksandry wymaga czterech dni wspinania się, najpierw przez las a następnie wśród lobelii i drzewiastych roślin z gatunku starzec (senecio).

114–115. Ogromny płaski basen mieści jezioro Bujuku u wrót doliny o tej samej nazwie, na wysokości około 3962 m. W tle widać częściowo zakrytą chmurą skalistą wschodnią ścianę Mount Stanley.

115 u dołu. Najbardziej malowniczym spośród wielu jezior po ugandyjskiej stronie pasma Ruwenzori jest bez wątpienia jezioro Kitandara, położone na zachód od Przełęczy Freshfield na wysokości 4267 m. W tle widać szczyt Sella (4658 m) i inne szczyty Góry Ludwika Sabaudzkiego.

Pasmo Ruwenzori

116 u góry i 117. Szczyt Aleksandry (5109 m) jest drugim pod względem wysokości szczytem pasma Ruwenzori, ale w ostatnich kilku dziesięcioleciach jego lodowa pokrywa znacznie się skurczyła. Dzisiaj niewiele pozostało z imponującej ośnieżonej grani, po której szedł książę Abruzzów i towarzyszący mu przewodnicy z Courmayer.

116 u dołu. W drodze na szczyty Margherita i Aleksandry ekipy alpinistów przechodzą z chaty Heleny (Elena Hut) przez oblodzony płaskowyż Stanleya, leżący u podnóży najwyższych szczytów pasma Ruwenzori. Wśród chmur widać szczyty Mount Speke, których kulminację stanowi szczyt Wiktora Emmanuela (4980 m).

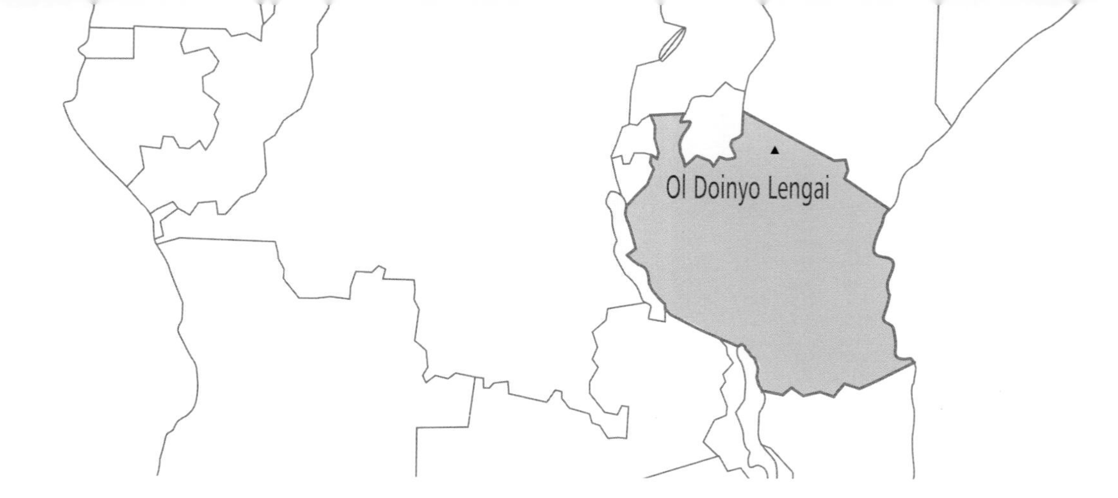

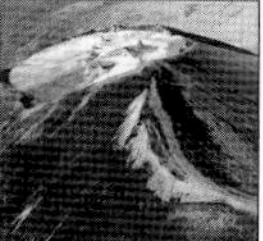

Ol Doinyo Lengai

TANZANIA

Zaraz na południe od granicy między Tanzanią a Kenią, w Wielkim Rowie Tektonicznym na północny zachód od miasta Arusha, wznosi się bardzo szczególny wulkan, Ol Doinyo Lengai, uważany przez Masajów za świętą „Górę Boga". Miasto Arusha jest punktem wyjściowym tras na Kilimandżaro i wycieczek do Parku Serengeti, nad jezioro Manyara, krateru Ngorongoro i innych wielkich atrakcji przyrodniczych w północnej Tanzanii.

Ol Doinyo Lengai jest jedynym czynnym wulkanem w Afryce Wschodniej. Jest on znacznie niższy od otaczających go szczytów (jego wysokość wynosi 2886 m, około 3009 m mniej niż Kilimandżaro). Kulminację tego wulkanu stanowią dwa blisko leżące kratery, ale tym, co czyni ten wulkan szczególnym, jest jego lawa. Jest to jedyny znany wulkan wyrzucający lawę natrokarbonatytową, która jest znacznie chłodniejsza od lawy bazaltowej (510°C w porównaniu do 1100°C) i bardziej płynna od innych rodzajów lawy. Wypływa ona na powierzchnię przez małe, pozbawione pnia stożki rozpryskowe wysokości dochodzącej do 15 m, nazywane przez wulkanologów *hornitos* („różki"), czasami wyrzucające w powietrze lapille (zaokrąglone lub kanciaste kawałki lawy).

Lawa natrokarbonatytowa Ol Doinyo Lengai nie żarzy się w ciągu dnia – przypomina wówczas plamę ropy. Jeśli zawartość gazu jest szczególnie niska, to może nawet przypominać wodę. Rzeczywiście, dawniej wielu odwiedzających wulkan sądziło, że ma do czynienia z lawiną błotną. W nocy lawa przybiera odcień pomarańczowy, ale nie jest tak jasna jak lawa innych wulkanów. Świeżo zakrzepnięta lawa jest czarna i zawiera kryształki połyskujące w słońcu. Kontakt z wilgocią powoduje, że wskutek reakcji chemicznych kolor zmienia się gwałtownie na biały. Podczas deszczu zmiana zachodzi błyskawicznie.

Od lat 80. XX wieku coraz więcej ludzi obserwuje aktywność wulkanu i ostatnio do wulkanologów dołącza coraz więcej turystów. Okresy spokoju wulkanu występują na przemian z wybuchami, które mogą szybko okazać się niebezpieczne. O ile dojście do krateru jest szczególnie trudne (trzeba wejść na wysokość 1700 m z wioski Masajów Engare Sero po piaszczystym terenie w upalnych warunkach), to piaszczyste obszary wokół kraterów pozwalają na wygodne biwakowanie.

Na szczęście nieprzyjazne środowisko krateru nie odstrasza dzikich zwierząt i na szczycie żyją jadowite węże (szczególnie kobry), małe antylopy i ptaki drapieżne, a na piaszczystym gruncie często znajduje się ślady lampartów.

118. Strome, pokryte lawą i piaskiem zbocza Ol Doinyo Lengai dominują nad bezludnym płaskowyżem w pobliżu masajskiej wioski Engare Sero.

119. Lawa Ol Doinyo Lengai jest chłodniejsza i bardziej płynna od lawy wyrzucanej przez inne wulkany. Czasami wypływająca z dwóch kraterów tego wulkanu lawa przypomina błoto.

120–121. Po okresach spokoju bliźniaczych kraterów Ol Doinyo Lengai następują okresy erupcji, które mogą okazać się niebezpieczne.

122–123. Północna ściana góry Kenia, dominująca nad górną częścią doliny Mackinder, jest najbardziej znanym i najczęściej fotografowanym widokiem góry. Na tle nieba widać sylwetki szczytów Batian (5199 m, z lewej), Nelion i poszarpany Point John.

122 u dołu. Krajobraz góry Kenia, tak jak innych wysokich gór afrykańskich, charakteryzuje występowanie powyżej linii drzew roślin gatunku starzec (Senecio) (na tym zdjęciu) i lobelii.

123. Batian, Nelion i pobliskie szczyty wznoszą się nad moreną z dziesiątkami szmaragdowych stawów górskich. To zdjęcie lotnicze pokazuje Emerald Tarn (Staw Szmaragdowy) w górnej części doliny Nanyuki.

Góra Kenia

KENIA

„Matterhorn Afryki" jest oddalony tylko kilka mil od równika, wznosząc się nad najżyźniejszym płaskowyżem kraju, któremu dał swoją nazwę. Znajduje się on pod ochroną jednego z najpiękniejszych parków kontynentu. Góra Kenia jest świętą górą dla Masajów (którzy nazywają ją Ol-Donyo-Oibor, co oznacza „białą górę"), Samburu i Kikuyu (nazywających ją Kere-Nyaga). Jej kulminacją są bliźniacze skaliste szczyty Batian i Nelion, mające odpowiednio wysokość 5199 i 5188 m. Między tymi dwoma szczytami znajduje się Brama Mgieł.

U podnóży wschodniej ściany szczytu Nelion, która według alpinisty i pisarza Felice Benuzzi jest „tak samo połyskliwie żółta jak domy starego Rzymu jesienią, zanim zachód słońca nie zabarwi ich na cynobrowo", znajduje się łatwy do zdobycia Point Lenana, ukształtowany z pokruszonych skał i śniegu, osiągający wysokość 4985 m, będący ulubionym celem wypraw turystów zwiedzających drugi co do wysokości masyw Afryki. Przyprawiające o zawrót głowy szczyty są otoczone niższymi, takimi jak Sendeyo, Tereri, Point John i gwałtownie cofającymi się lodowcami (z których największym jest lodowiec Lewis).

Na wysokości około 3960 m wśród jezior i moren roślinność składa się z gatunków *Senecio* i *Lobelia*, ogromnych sukulentów występujących na wszystkich górach Afryki, które rosną w otoczeniu delikatnych *Helichrysum* i niezliczonych odmian miejscowej flory. Na niższych wysokościach lasy zadziwiają swoimi drzewiastymi wrzoścami, mchami, stroiczkami i wysokimi macaranga, w których piszczą i skaczą małpy z gatunku gereza.

W powietrzu fruwają orły, sępy i rzadkie puchacze Mackindera. Bawoły, słonie i lamparty nadal występują licznie w lesie, w którym kryją się również płochliwe małe antylopy leśne, takie jak duiker i bushbuck. Jednak najłatwiej spostrzec tu góralka, przypominającego świstaka, ale będącego w rzeczywistości bliskim krewnym słonia.

Góra Kenia została odkryta i opisana przez europejskich badaczy w drugiej połowie XIX wieku, ale dostęp do niej stał się możliwy dopiero po tym, gdy kolej z Mombasy do Nairobi połączyła wnętrze lądu z wybrzeżem. W 1885 roku szkocki badacz Joseph Thomson opisał „śnieżnobiały szczyt o połyskujących płaszczyznach, które iskrzyły olśniewająco pięknie jak kolosalny brylant". W dwa lata później węgierski hrabia Teleki de Szek wspiął się na górę do wysokości 4700 m, a w 1893 roku brytyjski geolog John Walter Gregory odkrył, że góra w rzeczywistości stanowi pozostałość dawnego wulkanu.

Pierwszego wejścia na Batian dokonali w 1899 roku angielski geograf Halford Mackinder i przewodnicy górscy z Courmayeur, César Ollier i Joseph Brocherel, którzy wspięli się po skalnych przejściach IV stopnia trudności i niezwykle trudnym oblodzonym zboczu, nazwanym ze względu na swoją twardość Diamentowym Lodowcem. Z niewiadomego powodu Mackinder niezmiennie mówił o swoich przewodnikach jako o „szwajcarskich przewodnikach".

Przez następne dekady wielu spośród największych alpinistów Europy pokonało skalne ściany i lodowce góry Kenia. Jednak największa przygoda była czymś więcej niż wyzwaniem alpinistycznym. W styczniu 1943 roku trzech włoskich jeńców wojennych Felice Benuzzi, Giovanni Balletto i Vincenzo Barsotti

uciekło z brytyjskiego obozu, znajdującego się w pobliżu Nanyuki, i udało się w kierunku góry, pokonując skalne ściany Batianu za pomocą lin wykonanych z konopnych włókien, wyciągniętych z obozowych sienników i toporków zrobionych ze złomu. Jedynym źródłem ich informacji o górze Kenia była etykieta na puszce po konserwie mięsnej ze stylizowaną sylwetką góry. Nie udało im się wejść na Batian, ale wspięli się na Point Lenana i zatknęli tam włoską flagę, po czym zeszli i poddali się Brytyjczykom. Po wojnie książka Felice Benuzziego (zatytułowana *Fuga sul Kenya* po włosku i *No picnic on Mount Kenya* po angielsku) zasłużenie stała się bestsellerem.

Góra Kenia

124 u góry. Na górę Kenia, będącą jednym z najpopularniejszych celów turystycznych w Afryce, wchodzi co roku kilkuset alpinistów.

124 pośrodku. Nelion widziany ze wschodniej części masywu (w której wznosi się Point Lenana), zasłaniając Batian, wydaje się być pojedynczym szczytem.

124 u dołu. Do Point Lenana (4985 m) można łatwo dojść po zboczach lodowca Lewisa z Chaty Austriackiej (Austrian Hut).

124–125. Diamentowy Żleb znajduje się między Batianem (z lewej) i Nelionem. Został zdobyty po raz pierwszy w 1973 roku przez Phila Snydera i Thumbi Mathenge.

126–127. „Szeroka jak cały świat, wielka, wysoka i niewiarygodnie biała w słońcu", tych słów Ernesta Hemingwaya, napisanych w 1938 roku, nadal można używać do opisania najwyższej góry Afryki, widzianej tutaj z sawanny w kenijskim Parku Narodowym Amboseli.

126 u dołu i 127 u dołu. Alpiniści od ponad stu lat docierający do szczytowej grani Kilimandżaro napotykali na lodowe klify północnej krawędzi krateru. Pierwszego wejścia na szczyt dokonali w 1887 roku niemiecki geograf Hans Meyer i austriacki alpinista Ludwig Purtscheller.

127 u góry. Patrząc na południową stronę Kilimandżaro ze szlaku Machame, przecinającego dziką dolinę Barranco, widzi się wspaniałe lodowce. Wejście na najwyższy szczyt Afryki i zejście z niego wymaga przynajmniej pięciu dni.

128–129. Wspaniałe zdjęcie lotnicze Kilimandżaro zrobione kilka lat temu pokazuje stan lodowych klifów na krawędzi krateru przed ich cofnięciem się. Z lewej widać Uhuru (5895 m), który jest wierzchołkiem góry.

Kilimandżaro

TANZANIA

Najłatwiejsza z wielkich gór świata wznosi się ponad tanzanijską sawannę w odległości kilku mil od granicy z Kenią. Szczyt wysokości 5895 m stanowi świetne tło dla słoni, antylop i lwów poruszających się po Parku Narodowym Amboseli. „Szeroka jak cały świat, wielka, wysoka i niewiarygodnie biała w słońcu", tak opisywał ją w 1938 roku amerykański dziennikarz i pisarz Ernest Hemingway, który jednak nigdy nie wspiął się na jej szczyt, a jedynie obserwował ją z dołu.

Chociaż Ptolemeusz pisał o „wielkiej ośnieżonej górze" w sercu Afryki, a w 1519 roku Hiszpan Fernandes de Encisto wspominał o „Olimpie Etiopii znajdującym się na zachód od Mombasy, bardzo wysokim i położonym w kraju obfitującym w złoto i dzikie zwierzęta", to Europa nie wiedziała nic więcej o najwyższym wulkanie kontynentu aż do 1848 roku, kiedy zobaczył ją szwajcarski misjonarz Johann Rebmann.

W 1886 roku królowa Wiktoria przyznała Kilimandżaro swojemu siostrzeńcowi, przyszłemu cesarzowi Wilhelmowi II, i rok później niemiecki geograf Hans Meyer i austriacki alpinista Ludwig Purtscheller dotarli na najwyższy szczyt, który nazwali Kaiser Wilhelm Spitze. Nazwę szczytu zmieniono na Uhuru, co oznacza w języku suahili „wolność", kiedy Tanzania uzyskała niepodległość pod koniec 1961 roku.

Obecnie Kilimandżaro ze stożkiem Kibo i dziwnymi skalistymi iglicami Mawenzi znajduje się pod ochroną wspaniałego parku narodowego, do którego co roku przyjeżdżają tysiące turystów z całego świata. Najbardziej popularny szlak Marangu rozpoczyna się we wspaniałym lesie, w którym rosną drzewiaste stroiczki i macaranga, przechodzi wśród różnych gatunków *Helichrysum* i okazałych olbrzymich wrzośców, po czym biegnie dalej przez księżycowy krajobraz Siodła. Bezsenna noc w Chacie Kibo na wysokości 4700 m stanowi preludium do mozolnej wspinaczki po luźnym rumowisku wulkanicznym w kierunku krawędzi krateru i szczytu.

Chociaż szczyt Kibo nadal stanowi niezwykły balkon wznoszący się nad Afryką, to niewiele pozostało z lodowych klifów, tak charakterystycznych kiedyś dla krawędzi krateru, w którym w latach 20. XX wieku znaleziono zamrożone zwłoki lamparta i do którego regularnie docierają kruki i afrykańskie psy myśliwskie. Pomimo to poprzecinane wielkimi rozpadlinami lodowce Heim i Decken nadal sprawiają wielkie wrażenie. Schodzą one po południowo-wschodniej stronie Kibo, poprzecinanej trasami przetartymi przez najlepszych alpinistów świata. Te wspaniałe lodowce można podziwiać, idąc szlakiem Machame przez dolinę Barranco, najdzikszą i najbardziej odizolowaną z dolin Kilimandżaro.

AZJA

Najwyższe góry świata znajdują się w sercu Azji. Pasma Karakorum i Himalajów ciągną się przez ponad 1930 km między Indusem a Brahmaputrą, od Tybetu po spieczone słońcem równiny Indii. Znajduje się w nich 150 najwyższych szczytów, w tym 14 o wysokości przekraczającej 8000 m. Na pierwszym miejscu jest Mount Everest, o którym przez długie lata twierdzono, że ma wysokość 8867 m, ale niedawno określono ją na 8850 m.

W Himalajach są jeszcze Kanczendzonga, Lhotse (Lhoce), Makalu, Dhaulagiri, Annapurna, Nanga Parbat, Manaslu, Cho Oyu (Czo Oju) i Gosainthan. Kulminacją leżącego na północny zachód pasma Karakorum jest szczyt K2 (znany również jako Mount Godwin-Austen) wysokości 8611 m, otoczony przez Broad Peak, Gasherbrum I (Gaszerbrum I) i Gasherbrum II (Gaszerbrum II).

Chcąc włączyć wszystkie szczyty wysokości ponad 7000 m, należy uwzględnić Hindukusz (z najwyższym szczytem Trich Mir, 7690 m), pasmo Tien-szan (Pik Pobiedy, 7439 m) i Pamir, którego najwyższym szczytem jest Kongur (7718 m), w Chinach. W zachodnim Pamirze znajduje się szczyt Ismail Samani (7495 m) i inne wysokie góry byłego Związku Sowieckiego.

Wielkie góry Azji były sceną, na której odgrywało się wiele najbardziej dramatycznych i słynnych wydarzeń w historii gór. W 1921 roku wyprawa brytyjska podjęła pierwszą próbę wejścia na Mount Everest, zaś w 1950 roku wspinacze francuscy Maurice Herzog i Louis Lachenal stali się pierwszymi ludźmi, którzy postawili stopę na szczycie ośmiotysięcznika, którym była Annapurna o wysokości 8091 m. W 1953 roku Edmund Hillary i Tenzing Norgay zdobyli Everest, rok później włoska wyprawa zdobyła K2, a w 1986 roku Reinhold Messner stał się pierwszym człowiekiem, który wspiął się na wszystkie ośmiotysięczniki świata.

Jednak wszystkie te podboje poprzeplatane są strasznymi tragediami. W latach 1934 i 1938 olbrzymie lawiny zmiotły ekspedycje na Nanga Parbat, a wypadki i burze śniegowe spowodowały śmierć 14 himalaistów na K2 w 1986 roku i 12 na Evereście dziesięć lat później.

Wspinaczka to tylko część historii Himalajów – stanowią one również miejsce spotkania trzech wielkich religii światowych: islamu, buddyzmu i hinduizmu. Wielkie ośnieżone szczyty są tłem dla szlaków karawan, klasztorów i historycznych miast. W sieci obszarów chronionych, ustanowionych wokół gór i lodowców, zamieszkują lamparty śnieżne i czarne niedźwiedzie azjatyckie, a z kopytnych argali – owca górska i himalajski thar – duże zwierzę przypominające kozę.

To nieuniknione, że w porównaniu do Himalajów i sąsiednich pasm górskich inne góry kontynentu będą wydawać się niewielkie. Jednak w Azji znajduje się ich wiele. Do najważniejszych należą góra Synaj, o wielkim znaczeniu religijnym, z której rozlega się widok zarówno na Afrykę, jak i Azję, góry Środkowego Wschodu, od Araratu po Demavend i położone najdalej na wschodzie wulkany Kamczatki. Jest też pasmo Taurusa w Turcji oraz góry Japonii i Korei – często odwiedzane pomimo skromnej wysokości – oraz wulkany Indonezji i Kinabulu na Borneo.

130 z lewej. Wielka Wieża Trango (6257 m) i Wieża Bezimienna (6250 m) w Pakistanie.

130 pośrodku. Gasherbrum IV (7925 m, Chiny–Pakistan) widziany z lodowca Baltoro.

130 z prawej. Góra Fudżi (3776 m, Japonia), aktywny stratowulkan, widok od strony północno-wschodniej.

131. Mount Everest (8850 m, Nepal–Chiny) widziany z lodowca Khumbu znajdującego się na południowy zachód.

Góra Synaj

EGIPT

Półwysep Synaj zawdzięcza swoją sławę Biblii. „Wtedy Mojżesz poprowadził lud Izraela od Morza Czerwonego na Pustynię Szur. Szli przez trzy dni" – czytamy w Księdze Wyjścia, części Starego Testamentu, opowiadającej o wyjściu narodu wybranego z Egiptu. W historii biblijnej Mojżesz mieszka na pustyni, słyszy głos Boga, który przemawia do niego z krzaka gorejącego i powraca na półwysep na czele Żydów uwolnionych z niewoli w dolinie Nilu. Następnie wchodzi na górę i wraca z tablicami *Dekalogu*, by po powrocie zobaczyć, że jego lud czci pogańskiego złotego cielca. Po wyrażeniu przez Izraelitów skruchy i ponownym wejściu Mojżesza na górę, Żydzi wracają nad brzegi Jordanu. Przez tysiąclecia wyznawcy trzech religii monoteistycznych (judaizmu, chrześcijaństwa i islamu) uznawali, że miejscem tych wydarzeń jest najwyższa góra półwyspu Synaj, u stóp której w V wieku zbudowano klasztor św. Katarzyny. Chociaż obecnie archeologowie sądzą, że fakty, o których mowa w Biblii miały prawdopodobnie miejsce dalej na północ, to półwysep, jego wybrzeża i szczyty zostały odkryte dla masowej turystyki. Chociaż Półwysep Synajski jest płaski na północy, gdzie piaszczysta Pustynia Synajska łączy się z Pustynią Negev w Izraelu, to południowa jego część poprzecinana jest skomplikowanymi i malowniczymi pasmami górskimi, uformowanymi z granitu i piaskowca, w których Beduini rozbijali swoje obozy od tysięcy lat. Chociaż najwyższym szczytem jest Św. Katarzyna (2637 m), to najczęściej odwiedzana jest góra Synaj (2285 m), znana również jako Góra Mojżesza. Półwysep Synajski, który znajdował się pod administracją izraelską od wojny sześciodniowej w 1967 roku do 1979, kiedy został zwrócony Egiptowi po porozumieniu z Camp David, stanowi obecnie jeden z najbardziej popularnych celów turystycznych na Bliskim Wschodzie. W Sharm El-Sheikh, znajdującym się na najbardziej na południe wysuniętym cyplu półwyspu, zbudowano lotnisko międzynarodowe, dziesiątki hoteli i ośrodków nurkowania, umożliwiających nurkowanie w Parku Morskim Ras Mohammed.

Obecnie górę Synaj oblegają urlopowicze z Sharm el-Sheikh i innych pobliskich miejscowości wypoczynkowych. Co noc setki ludzi dojeżdżają autobusami do klasztoru św. Katarzyny, po czym udają się na szczyt po ścieżce dostępnej również dla turystów na wielbłądach, i która kończy się stromymi schodami. Chociaż krzyki turystów, poganiaczy wielbłądów i sprzedawców przekąsek i napojów sprawiają, że doświadczenie jest mniej przejmujące, niż można by było oczekiwać, to świt widziany ze skał góry pozostaje magiczną chwilą i pozwala zwiedzającym wędrować wzrokiem po granitowych górach Synaju.

132. Pierwsze promienie słońca padają na starożytną Kaplicę Świętej Trójcy na szczycie góry Synaj.

133. Ścieżka prowadząca na górę Synaj (znaną również jako Góra Mojżesza) zaczyna się obok klasztoru św. Katarzyny na wysokości 1570 m.

134–135. Granitowe skalne ściany góry Synaj (2285 m), stanowiące wspaniały widok dla turystów zmierzających do Kaplicy Świętej Trójcy (2250 m), są wyzwaniem dla alpinistów odwiedzających półwysep. W okolicy wznosi się również najwyższy szczyt półwyspu: Św. Katarzyna (2637 m).

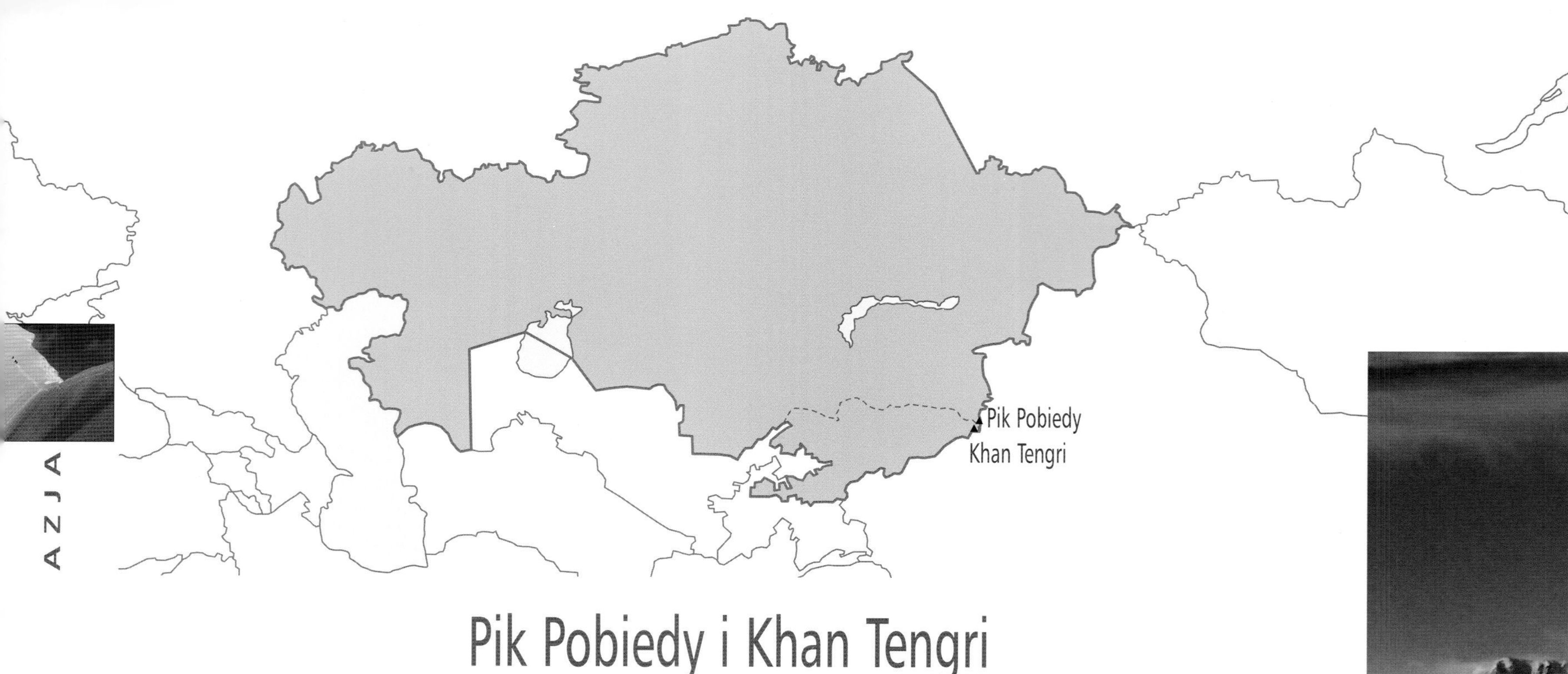

Pik Pobiedy i Khan Tengri

KAZACHSTAN-KIRGISTAN

Szczyty należące do najpiękniejszych i najtrudniejszych dla alpinistów gór znajdują się w paśmie Tien-szan, „Niebiańskich Gór", wyznaczających współczesną granicę między Kazachstanem, Kirgistanem i Chinami. Podróżni, wędrujący wzdłuż południowej odnogi Szlaku Jedwabnego mogą je zobaczyć na horyzoncie z południowej strony.

Najwyższym szczytem pasma jest Pik Pobiedy, którego wierzchołek wznosi się na wysokość 7439 m, czyniąc go drugim co do wysokości szczytem w Azji Środkowej, po szczycie Ismail Samani (7495 m), najwyższym szczycie Pamiru i byłego Związku Radzieckiego. Jednak najbardziej elegancką i najtrudniejszą górą Tien-szan jest Khan Tengri, piramida z marmuru i lodu położona około 8 km na południe od Piku Pobiedy, wznosząca się na wysokość 6995 m nad dwoma odnogami lodowca Inylchek.

O ile na Pik Pobiedy alpiniści wchodzą dość często, to Khan Tengri jest górą bardzo trudną i każdego roku tylko kilku wspinaczom udaje się dotrzeć na jej szczyt. Khan Tengri została zdobyta po wielu wcześniejszych próbach w 1931 roku przez radziecką wyprawę kierowaną przez ukraińskiego alpinistę M. Pogrebieckiego. Wejścia dokonano trasą wzdłuż niebezpiecznej, ale nie nadmiernie trudnej Zachodniej Grani, którą nadal wykorzystuje większość zespołów wspinaczy.

Grań Marmurowa na południowej ścianie góry została po raz pierwszy zdobyta w roku 1964 również przez radziecką ekspedycję, kierowaną przez B. Romanowa. Dziesięć lat później, w 1974 roku, zespół z Kazachstanu kierowany przez B. Studenina i rosyjska ekspedycja kierowana przez E. Mysłowskiego przetarły dwa szlaki na ogromnej i bardzo stromej ścianie północnej, stanowiącej labirynt skał i lodu wznoszący się w niebo na wysokość bez mała 2,5 km. W następnych latach otwarto na tej ścianie kilka innych tras. Alpiniści zachodni dokonali pierwszych wejść na nią w latach 90. XX wieku, co zbiegło się z pierwszym zimowym wejściem kazachskiego zespołu, wyposażonego w liny, kierowanego przez W. Chriszatego. Później, po upadku Związku Radzieckiego i otwarciu się Azji Centralnej na cudzoziemców, w dolinach Tien-szan pojawili się alpiniści i turyści podziwiający naturalną dziką przyrodę i wspaniałe ściany tych gór, ale jednak większość alpinistów, którzy dotarli do wierzchołka Khan Tengri (6995 m), pochodzi z Kazachstanu. Każdy, kto odwiedził te wystawione na lodowate wiatry nieprzystępne góry od razu zrozumie, dlaczego alpiniści, którzy trenowali wspinaczkę na Khan Tengri i Piku Pobiedy dokonywali później historycznych wyczynów na Evereście i innych olbrzymach Himalajów.

136 u góry. „Niebiańskie Góry" powstały w okresie formowania się Himalajów, w erze kenozoicznej. Utworzyło się wówczas pasmo górskie długości około 2400 km.

136 u dołu. Wejście na Pik Pobiedy, najdalej na północ położony siedmiotysięcznik, jest wyjątkowo wyczerpujące i pochłonęło życie wielu alpinistów z byłego Związku Radzieckiego.

136–137. Okazały masyw Piku Pobiedy (7439 m) jest najwyższym punktem pasma Tien-szan, wyznaczającego współczesną granicę między Kazachstanem, Kirgistanem i Chinami. Pierwszego wejścia na górę dokonała radziecka wyprawa kierowana przez Witalija Abłakowa w 1956 roku.

137 u dołu. Północna odnoga lodowca Inylchek opływa powoli podnóże gór środkowej części Tien-szan. Wielki „tron" szczytu Bayankol (5841 m) widać z lewej strony. Jego południową ścianę rozdziela oblodzony wąwóz. Zbocza Khan Tengri wznoszą się niemal dokładnie po przeciwnej stronie doliny.

138–139. *Olbrzymia rozpadlina u stóp Przełęczy Zachodniej Khan Tengri kryje namioty wyprawy wspinającej się główną trasą na górę. Trasa prowadząca na tę wspaniałą górę przez Pik Czapajewa jest najbezpieczniejsza i najbardziej popularna.*

138 u dołu. *Prowadząca bezpośrednio do wierzchołka Marmurowa Grań imponującej południowej ściany Khan Tengri została pokonana po raz pierwszy w 1964 roku przez ekspedycję sowiecką.*

139 u góry. *Alpinista wspinający się na strome ośnieżone zbocze z zamocowaną liną, zmierzający ku wierzchołkowi Khan Tengri (6995 m).*

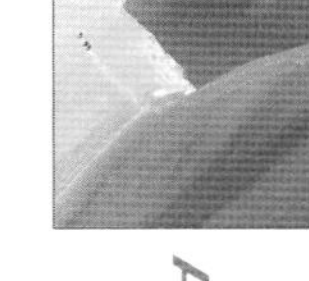

Pik Pobiedy i Khan Tengri

139 u dołu. Najbardziej popularną trasę na Khan Tengri, prowadzącą po ścianie zachodniej, widać z prawej strony zdjęcia. W 1931 roku pierwsi alpiniści dotarli do górnej części szczytu, wspinając się po niebezpiecznym lodowcu Siemionowskiego, który schodzi do Przełęczy Zachodniej przez Pik Czapajewa. Obecnie jest to najczęściej wykorzystywana trasa, która choć nie jest najkrótszą drogą na szczyt, to jest najbezpieczniejsza.

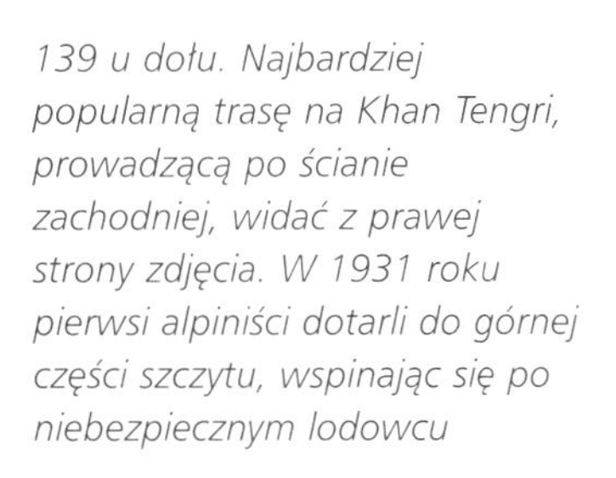

Wieże Trango

PAKISTAN

Jedne z najpiękniejszych na świecie granitowych masywów wznoszą się nad moreną lodowca Baltoro, spływającego z podnóży K2 i Gasherbrum (Gaszerbrum) w kierunku doliny Indusu. Od czasów najwcześniejszych wypraw w XIX wieku wszyscy, którzy zmierzali na drugą co do wysokości górę świata, przechodzili po płytach, wieżach i graniach szczytów Paiju, Katedr, Uli Biaho i innych wspaniałych szczytów. Najokazalszy jest masyw wież Trango, wznoszący się przed łąkami i granitowymi głazami Urdukas, ostatniego obozowiska przed lodowcem.

Najlepsi alpiniści świata zaczęli na nowo odkrywać wieże i pobliskie szczyty w połowie lat 70. XX wieku, po tym jak pasmo Karakorum zostało zamknięte dla cudzoziemców na 15 lat. Wielka Wieża Trango (6257 m), która jest najwyższym szczytem w tej grupie, została zdobyta w 1977 roku przez amerykańską ekspedycję, w której uczestniczyli Dennis Hennek, Jim Morrissey, John Roskelly, Kim Schmitz i alpinista fotograf Galen Rowell. Rok wcześniej zespół składający się ze znakomitych alpinistów brytyjskich – Mo Anthoine'a, Martina Boysena, Joe Browna i Iana McNaught-Davisa (zastąpionego podczas drugiej wyprawy przez Malcolma Howellsa) z powodzeniem wspiął się w drugiej próbie na Wieżę Bezimienną (6250 m). W tym samym okresie inne ekspedycje – włoskie, francuskie, amerykańskie i pakistańskie – dotarły na szczyty Paiju i Wielkiej Katedry (Grand Cathedral). Nie jest łatwo wspinać się po granitowych ścianach, dlatego w latach 80. XX wieku wieże Trango i sąsiednie masywy przyciągały najlepszych alpinistów świata. Techniki i materiały opracowane w Alpach, Patagonii i Yosemite wykorzystano tu do otwarcia dróg o VII i IX stopniu trudności. Wśród alpinistów, którzy dokonali tych wyczynów, byli Szwajcarzy Erhard Loretan i Michel Piola, Słoweniec Francek Knez i Maurizio Giordani z Trentino. Chociaż nie jest łatwo dotrzeć do podnóży tych gór, to wieże Trango i okoliczne masywy przyciągają nie tylko alpinistów. Ci, którzy przetrwają podróż samochodem terenowym do Askole i udadzą się następnie na trwającą cztery lub pięć dni mozolną wędrówkę pieszą, zobaczą w nagrodę najbardziej poruszający widok wysokich gór w Azji. Na tym obszarze obok skalnych ścian, moren i lodowców można zaobserwować różne dzikie zwierzęta, np. koziorożce, orły, sępy, himalajskie owce i kozy górskie, takie jak argali (czyli owcę Marco Polo) czy markhor (stworzenie przypominające kozę i antylopę). Park Narodowy Centralnego Karakorum, zajmujący obszar od doliny Indusu aż do K2, należy do najpiękniejszych na świecie.

140. Olbrzymie płyty wieży Trango tworzą tło dla moreny i warstw lodowych lodowca Baltoro, który spływa z Concordii ku Askole i rzece Indus.

140–141. Przerażająca stroma granitowa południowa ściana Wielkiej Wieży Trango, wznoszącej się nad lodowcem Baltoro i Urdukas, kontrastuje z łagodnym, pokrytym lodem zboczem wierzchołka góry.

141 u góry. Z Urdukas rozlega się niezwykły widok na wieże Trango. Wielką Wieżę (6257 m) widać pośrodku, natomiast ostra Wieża Bezimienna wznosi się po jej prawej stronie.

142–143. W piękne letnie dni chłód i wilgoć unoszące się znad lodowca Baltoro często powodują powstanie nad jego powierzchnią gęstej mgły.

144–145. Wieże Trango przedstawiają również wspaniały widok z doliny Uli Biaho. Na tym zdjęciu widać burzę zbierającą się nad szczytami. Na Wieżę Bezimienną (z lewej) pierwsi weszli po dwóch kolejnych próbach Brytyjczycy Mo Anthoine, Martin Boysen, Joe Brown, Ian McNaught-Davis i Malcolm Howells.

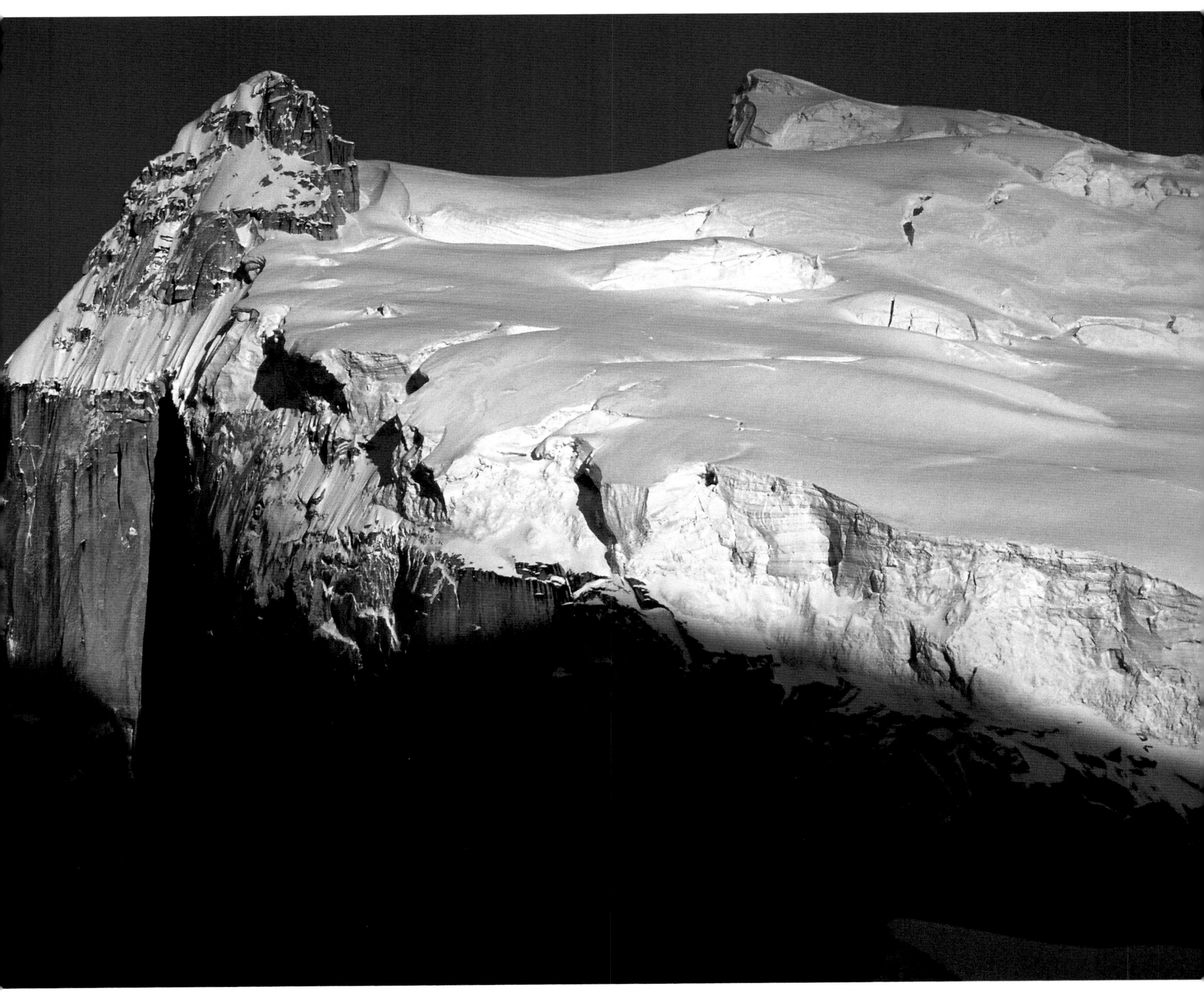

Nanga Parbat

PAKISTAN

Jedne z najpiękniejszych i najbardziej okrutnych gór świata górują nad równinami Pakistanu i głęboką doliną Indusu, w której w latach 70. XX wieku asfaltowa wstęga autostrady Karakorum zastąpiła jeden z najważniejszych azjatyckich szlaków karawan. Nanga Parbat (8126 m) wyznacza zachodnią granicę Himalajów, wznosząc się nad pasmami Hindukuszu i Karakorum. Wskutek bliskości równin monsunowe wiatry atakują tę górę z pełną siłą.

Nanga Parbat, którą widać z szosy, ale której pełną chwałę i majestat najlepiej podziwiać z samolotów kursujących między Islamabadem a Gilgit i Skardu, jest górą dostępną. Grupy turystów łatwym szlakiem docierają do podnóży ogromnej ściany Rupal. W kilku dolinach są małe schroniska prowadzone przez miejscowych mieszkańców, a wokół góry powstaje obecnie jeden z największych parków narodowych.

Jednak Nanga Parbat – pierwszy szczyt Himalajów, na który próbowano się wspiąć – zajmuje ważne miejsce w historii podboju gór. W 1895 roku brytyjski alpinista Albert Frederick Mummery dotarł na szczyt po ścianie Rupal, przeszedł ścianę Damir i następnie zniknął razem z dwoma towarzyszami na wysokości ponad 6096 m. Kolejne rozdziały historii Nanga Parbat były pisane głównie przez Niemców. W 1934 roku austriacko-niemiecka wyprawa pod kierownictwem Willi Merkla (druga jego tu wyprawa) i Willo Welzembacha osiągnęła wysokość 7800 m, zanim burza śnieżna nie zabiła czterech członków ekspedycji i sześciu Szerpów. Cztery lata później ogromna lawina pogrzebała obóz podstawowy innej niemieckiej ekspedycji, zabijając siedmiu alpinistów i dziewięciu tragarzy wysokogórskich. W 1939 roku wyprawę innego zespołu wstrzymał wybuch drugiej wojny światowej.

Wśród członków wyprawy był Austriak Heinrich Harrer, który później uciekł z obozu dla jeńców wojennych i skierował się pieszo do Lasy.

W 1953 roku Hermann Buhl, wielki alpinista z Tyrolu, dokończył trasę z lat 30. minionego stulecia, wchodząc samotnie po długiej ośnieżonej grani skalnej, łączącej Silver Saddle (Srebrne Siodło) ze szczytem. W 1962 roku trzej alpiniści niemieccy – Toni Kinshofer, Anderl Mannhardt i Sigi Löw – zapoczątkowali najpopularniejszą obecnie trasę na Nanga Prabat na ścianie Damir.

W 1970 roku bracia Messnerowie pokonali ogromną ścianę Rupal i zeszli po łatwiejszej, ale ryzykownej ścianie Diamir bez lin i biwakowania, jednak podczas tego zejścia zaginął 24-letni Günther. Reinhold wspiął się z powrotem i szukał go przez cały dzień, ledwie udało mu się samemu zejść na dół. Ciała Günthera nie znaleziono aż do 2005 roku – a sława Nanga Parbat jako okrutnej góry trwa nadal.

146. Na gigantyczną ścianę Rupal Nanga Parbat, którą zobaczył po raz pierwszy w 1895 roku brytyjski alpinista Albert Frederick Mummery (zginął później na ścianie Damir), wspięli się w 1970 roku jako pierwsi Günther i Reinhold Messnerowie.

147 u góry i 148–149. Szczyt Rakhiot, wschodni bastion Nanga Parbat, został zdobyty po raz pierwszy w 1932 roku przez ekspedycję austriacko-niemiecką pod kierunkiem Willy'ego Merkla.

146–147. Budząca grozę lodowa ściana górująca nad doliną Damir została pokonana po raz pierwszy w 1962 roku przez niemiecką wyprawę, w skład której wchodzili Toni Kinshofer, Anderl Mannhardt i Sigi Löw. Ich trasa, na której zginął Löw podczas zejścia, obecnie stanowi najczęściej uczęszczany szlak na Nanga Parbat.

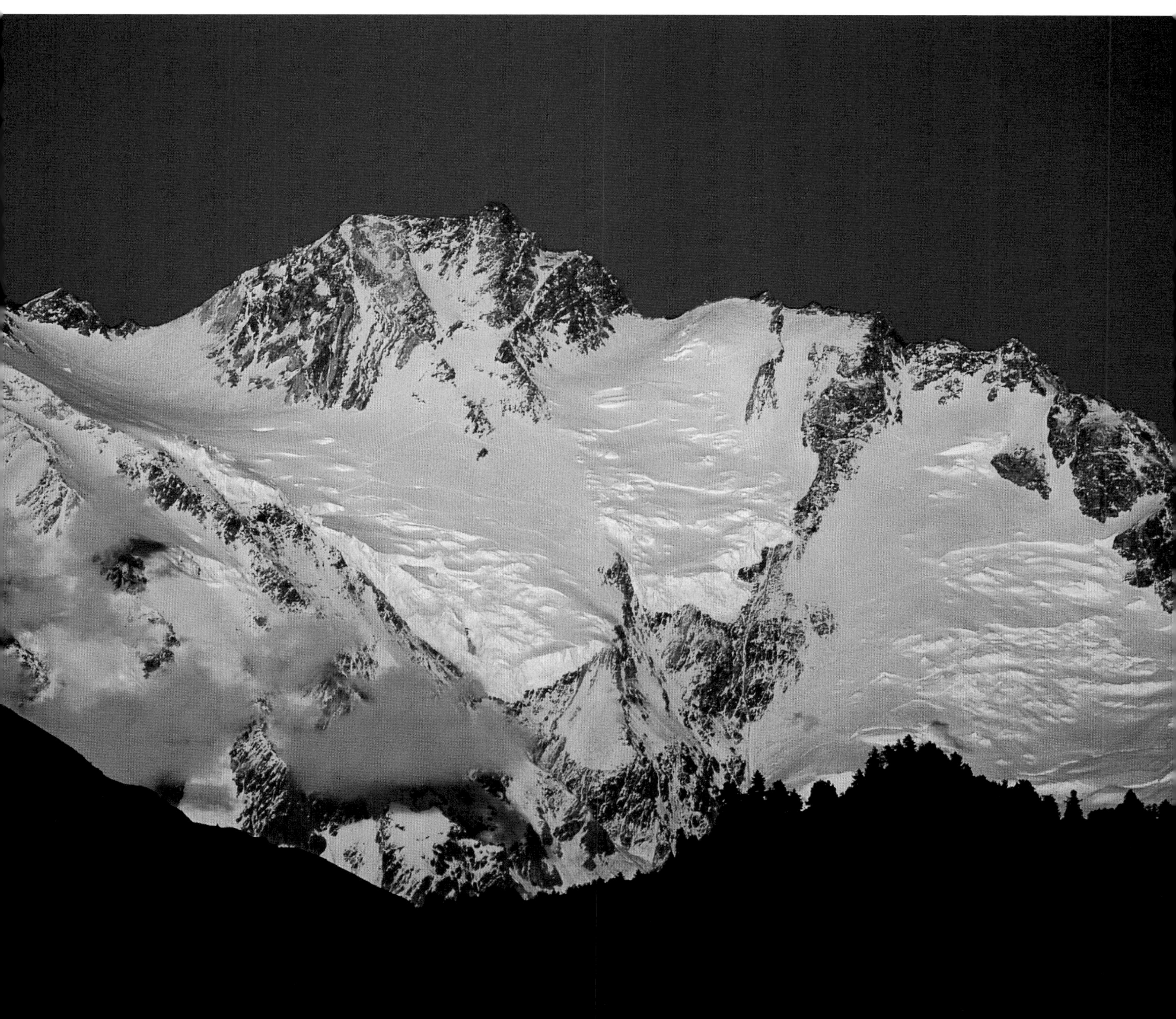

K2

PAKISTAN–CHINY

Wspinaczka do podnóża K2, niezwykłej piramidy ze skał i lodu, której wierzchołek (8611 m, według niektórych nowszych pomiarów 8616 m) jest najwyższym szczytem pasma Karakorum i drugim na świecie, należy do najtrudniejszych i bardzo wyczerpujących. Stromy, surowy i imponujący szczyt K2 jest znacznie trudniejszy do zdobycia niż Mount Everest. Zaledwie około 200 ludzi weszło na K2 w porównaniu do 300, którzy postawili swoją stopę na „dachu świata" w latach 1953–2006. Najlepiej znana jest południowa strona z jej skalnymi, pokrytymi lodem ścianami, górującymi nad pakistańskim lodowcem Baltoro. Północna strona góry zwrócona jest ku pustyniom i bystrym rzekom chińskiej prowincji Sinkiang. Oba regiony należą do najmniej gościnnych na świecie. „Góra o oszałamiających rozmiarach. Wznosi się w górę jako doskonały, niewiarygodnej wysokości stożek". W ten sposób opisał K2 w 1887 roku pułkownik Francis Younghusband z Armii Brytyjskiej, pierwszy człowiek z Zachodu, który zobaczył tę górę z bliska. Kilka lat później zaczęto organizować wyprawy próbujące dotrzeć na szczyt. Najlepszą trasę wyznaczyli i wspięli się nią do wysokości 6350 m pochodzący z Courmayeur przewodnicy wyprawy kierowanej przez Ludwika Amadeusza Sabaudzkiego, księcia Abruzzów. Droga ta do dzisiaj znana jest jako Grań Abruzzi. W tej wyprawie uczestniczył również wielki fotograf Vittorio Sella, który szeregiem niezwykłych zdjęć udokumentował niezrównane piękno góry. Później próbę zdobycia K2 podjęły trzy wyprawy amerykańskie, w tym ekspedycja z 1939 roku, podczas której Fritz Wiessener i Pasang Dawa Lama dotarli do miejsca o 213 m poniżej wierzchołka. Szczyt zdobyto dopiero w 1954 roku, kiedy Lino Lacedelli i Achille Compagnoni z włoskiej wyprawy kierowanej przez geologa Ardito Desio dotarli na wierzchołek góry. W przeciwieństwie do Everestu, tylko niewielkiej części alpinistów próbujących wejść na K2 udało się zrealizować swój zamiar. Drugiego wejścia dokonał dopiero w 1977 roku zespół japoński, któremu towarzyszył pakistański alpinista Ashraf Aman. W 1981 roku inna japońska ekspedycja weszła na szczyt po Grani Zachodniej, a dwa lata później ekipa ich rodaków weszła, po długiej wędrówce

150–151. Górujący nad granicą Pakistanu i chińskiej prowincji Sinkiang, osamotniony K2, jest szczególnie podatny na złe warunki pogodowe i może okazać się niezwykle niebezpieczny dla alpinistów. Na zdjęciu widać wierzchołek wznoszący się kilka metrów powyżej chmur, spowijających górną część góry.

151 u dołu. Broad Peak (z lewej), który jest dwunastą pod względem wysokości górą świata (8047 m), wznosi się nad lodowcem Godwin Austen, tworzącym malownicze tło dla alpinistów wspinających się na K2 po Grani Abruzzi (z prawej). To zdjęcie zostało wykonane z Obozu 1 na Grani Abruzzi, znajdujacego się na wysokości 6100 m.

z udziałem wielbłądów, na stromą i w większości pokrytą lodem północną ścianę góry.

Pięć lat później, w 1986 roku, polska wyprawa przeszła Magiczną Linią południowej ściany.

Sukcesy nie obyły się bez ofiar. Druga co do wysokości góra świata pochłonęła życie 14 alpinistów pochodzących z 7 krajów, w tym ludzi o tak wielkich nazwiskach jak Polak Tadeusz Piotrowski, Włoch Renato Casarotto czy Brytyjczyk Alan Rouse.

W 1990 roku międzynarodowa ekspedycja o nazwie Free K2 („Uwolnić K2") oczyściła południową ścianę grani Arbuzzi z pozostawionych na niej śmieci, namiotów i przymocowanych lin. Rok później Francuzi Pierre Béghin i Christophe Profit przetarli kolejną wspaniałą trasę na zachodniej ścianie K2, a w 2004 roku dwie włoskie wyprawy powróciły na szczyt

z okazji 50 rocznicy pierwszego wejścia, przy czym Lacadelli (mający wtedy 76 lat) doszedł aż do obozu podstawowego na lodowcu Baltoro. K2, podobnie jak Everest, jest otoczony wspaniałymi górami. Wśród nich są szczyty Gasherbrum (Gaszerbrum), Broad Peak, Masherbrum (Maszerbrum) i granitowe wieże Trango, szczyty Paiju i Baltoro Cathedrals. Park Narodowy Centralnego Karakorum ustanowiony przez rząd pakistański w 2001 roku (a tym samym młodszy od nepalskiego Parku Narodowego Sagarmatha) obejmuje obszar 9738 km^2, dotykając na długim odcinku granicy chińskiej. Jednak już kilka kilometrów od K2, na siodle Conwaya, między lodowcami Baltoro i Siachen, Pakistan i Indie toczą wojnę na najwyższej na świecie wysokości (ok. 6100 m). Obozy wojskowe i śmieci niszczą naturalne środowisko, a choroba wysokości, odmrożenia i pociski powodują co roku dziesiątki ofiar w szeregach obu armii. „Ludzie mogliby równie dobrze bić się na księżycu jak tutaj, ledwie łapiąc oddech na tej wysokości i trzymając karabin w ręku", skomentował sytuację amerykański alpinista i fotograf, który jako pierwszy odwiedził front.

152. Lodowce u stóp góry widziane z Grani Abruzzi K2 przypominają gigantyczne rzeki lodu i skał. Na zdjęciu widać lodowiec Savoia, spływający z zachodu (z prawej) do lodowca Godwin Austen, gdzie widać wyraźnie morenową grań, na której ekspedycje rozbijają swoje podstawowe obozy.

152–153. Klasyczna trasa prowadząca do stóp K2 prowadzi w górę lodowca Baltoro, który w przeważającej części pokryty jest śniegiem, kiedy wyprawy docierają doń w czerwcu. Zdjęcie pokazuje pochód tragarzy z plemienia Balti na ostatnim odcinku trasy, między Concordią a obozem podstawowym, znajdującym się na wysokości 5000 m.

K2

AZJA

154–155. Malutki namiot, rozbity na wiszącej w powietrzu skalnej grani pokrytej śniegiem, pozwala ocenić stromiznę północnej ściany K2, na którą jako pierwsi wspięli się w 1983 roku Japończycy. Ich wyczyn rok później powtórzyła wyprawa włoska.

155. Dochodząc do stóp K2 na nartach wzdłuż lodowca Godwin Austen, widzi się dominujący nad krajobrazem gigantyczny szczyt w kształcie piramidy od strony południowej. Zarys Grani Abruzzi na tle nieba jest widoczny z lewej strony góry.

K2

156–157. Alpiniści wspinający się na szczyt główną trasą zawsze widzą lodowiec Baltoro. Na tych zdjęciach wspinacze znajdują się w okolicy Obozu 2, który wyraźnie widać na lewym zdjęciu. Obóz ten znajduje się na wysokości prawie 6700 m na Grani Abruzzi. Na tym etapie wspinaczki można podziwiać wspaniałe widoki Broad Peak i grupy Gasherbrum (z lewej i prawej na dużym zdjęciu).

K2

158–159. Zachodzące słońce oświetla pokryte lodem skały południowo-zachodniej ściany K2. Wspinaczka na drugi pod względem wysokości szczyt świata jest niezwykle niebezpieczna i trudna nawet dla tych, którzy idą najlepiej znaną drogą przez Grań Abruzzi. To zdjęcie zostało wykonane z lodowca Godwin Austen.

160–161 i 160 u dołu. Gasherbrum I (Gaszerbrum I znany również jako Ukryty Szczyt) wznosi się na wysokość 8068 m, co czyni go najwyższym szczytem masywu. Pierwszego wejścia na górę dokonała w 1958 roku ekspedycja amerykańska. Później na górze otwarto wiele trudnych dróg.

161. Gasherbrum II (Gaszerbrum II, 8035 m) o bardzo charakterystycznym piramidalnym kształcie został zdobyty po raz pierwszy przez Austriaków Josefa Larcha, Fritza Moravca i Hansa Willenparta. Obecnie jest to jeden z ośmiotysięczników, na którego szczyt alpiniści wchodzą najczęściej.

162–163. Budząca grozę zachodnia ściana Gasherbrum IV (Gaszerbrum IV, 7925 m) dominująca nad Concordią i trasą do obozu podstawowego na K2 należy do najtrudniejszych w paśmie Karakorum. Została zdobyta po raz pierwszy w 1985 roku przez Polaka Wojciecha Kurtykę i Niemca Roberta Schauera.

Gasherbrum

PAKISTAN–CHINY

Jeden z najbardziej widowiskowych masywów pasma Karakorum wznosi się w pobliżu czoła lodowca Baltoro, na granicy Pakistanu z Chinami, i obejmuje siedem szczytów przekraczających 7000 m wysokości. Dwa z nich, Gasherbrum I (Gaszerbrum I), znany również jako Ukryty Szczyt (8068 m) i Gasherbrum II (Gaszerbrum II, 8035 m) zaliczają się do czternastu ośmiotysięczników. Nazwa tej niezwykłej grupy pochodzi od słów jezyka balti *rgasha brum* oznaczających „piękną górę".

Gasherbrum odkrył pod koniec XIX wieku brytyjski badacz William Martin Conway (który nadał najwyższemu szczytowi nazwę Ukrytego Szczytu), ale alpiniści nie podejmowali prób wejścia na szczyty aż do 1934 roku, kiedy to Günther Dyhrenfurth poprowadził międzynarodową ekspedycję, której towarzyszyło kilku aktorów filmowych.

Niemiec Hans Ertl i Szwajcar André Roche, którzy zdobyli już wiele szczytów alpejskich, doszli w drodze na szczyt Gasherbrum I na wysokość 6200 m, ale zostali zawróceni przez zamieć śnieżną, która zabiła Merkla, Welzenbacha i ich towarzyszy na Nanga Parbat. Dwa lata później wyprawa francuska pod kierunkiem Henri de Ségogne'a wspięła się na wysokość prawie 7010 m, po czym surowe warunki pogodowe zmusiły alpinistów do zejścia.

Najwyższe szczyty Gasherbrum zostały zdobyte w latach 50. XX wieku, kiedy nylonowe liny, cieplejsze i wygodniejsze ubrania i udoskonalone namioty pozwoliły na podbój wszystkich ośmiotysięczników. W 1954 roku Amerykanie Andy Kauffman i Pete Schoening zdobyli wreszcie Ukryty Szczyt, a w 1956 roku Austriacy Sepp Larch, Fritz Moravec i Hans Willenpart weszli na szczyt Gasherbrum II.

W ciągu kilku następnych lat przetarto kilka bardzo trudnych szlaków na Ukryty Szczyt. Pierwszy z nich, po którym w alpejskim stylu weszli Reinhold Messner i Peter Habeler, biegł skomplikowaną linią po ścianie północno-zachodniej. Gasherbrum II, czternasta pod względem wysokości góra świata, rywalizuje z Cho Oyu (Czo Oju) o tytuł najłatwiejszego i najczęściej odwiedzanego ośmiotysięcznika świata.

Prób wejścia na olbrzymie ściany północne obu szczytów, znajdujące się od strony Chin, zaczęto dokonywać dopiero w latach 90. minionego stulecia – bez powodzenia. Jednak Gasherbrum III (7952 m), Gasherbrum V (7321 m) i Gasherbrum VI (7003 m) zostały kolejno zdobyte.

Najciekawszym szczytem masywu jest Gasherbrum IV – niezwykła, pokryta lodem piramida skalna wysokości 7925 m dominująca nad Concordią. W sierpniu 1988 roku Walter Bonatti i Carlo Mauri (członkowie włoskiej ekspedycji kierowanej przez Riccardo Cassina) weszli na szczyt jako pierwsi. Zachodnia ściana szczytu jest najbardziej stroma i najtrudniejsza, ale w 1985 roku udało się ją pokonać polsko-niemieckiemu duetowi, Wojciechowi Kurtyce i Robertowi Schauerowi.

164–165. Falista północna grań Shivling została zdobyta w 1993 roku przez Tyrolczyków Hansa Kammerlandera i Christopha Hainza.

164 u dołu. Położenie Himalajów Garhwal sprawia, że są one względnie osłonięte przed wiatrami monsunowymi, dzięki czemu na Shivling i sąsiednie szczyty można wspinać się nawet w lecie, ale kiedy nadchodzi zła pogoda, wystarczy kilka godzin, by skały pokryła gruba warstwa śniegu.

165. Jedna z najpiękniejszych grani Himalajów Indyjskich schodzi w dół ze szczytu Shivling, „Fallusa Sziwy" (6543 m). Lower Peak, znajdujący się na zdjęciu na pierwszym planie, przecinają trasy przetarte przez ekspedycję brytyjską w 1983 roku i wyprawę australijską w 1986.

166–167. Zachodnia ściana Shivling, wznosząca się na wysokość około 1000 m od podnóża góry, stanowi najłatwiejszą ścianę szczytu, ale niebezpieczną ze względu na spadające seraki i ośnieżone półki. Pierwszego wejścia na szczyt z tej strony dokonało w 1974 roku dwóch alpinistów indyjskich i trzech Szerpów należących do wyprawy kierowanej przez H. Singha.

Shivling

INDIE

Jeden z najpiękniejszych obszarów Himalajów jest położony wokół źródeł Gangesu. Region Himalajów Garhwal, leżący blisko płaskowyżu tybetańskiego, jest poprzecinany głębokimi dolinami nawodnionymi dzięki deszczom monsunowym i może pochwalić się obfitością wody, lasów i dzikich zwierząt. Jest to obszar uważany przez Hindusów za święty. Znajduje się na nim wiele miejsc pielgrzymkowych i świątyń. Tłumy pielgrzymów przybywających z równin kierują się nie tylko do świątyni Gantori, zbudowanej nieco poniżej źródeł Gangesu, ale wspinają się również do świątyń Badrinath i Kedarnth.

Nad tymi dolinami dominują szczyty o niezwykłej urodzie. Ich względnie skromne wysokości i łatwość dotarcia z Delhi sprawiły, że cieszą się popularnością od początków himalaizmu. Wśród tych szczytów są Nanda Devi (7817 m) zdobyty w 1936 roku przez Noela Odella i Billa Tilmana, Kamet (7756 m), który zdobyli w 1931 roku Frank Smythe, Eric Shipton, R.L. Holdsworth i Lewa Sherpa, oraz Trisul (7120 m), pierwszy szczyt o wysokości przekraczającej 7000 m, na którym postawił stopę człowiek. Na Trisul w 1907 roku dotarli Tom Lohgstaff, przewodnicy z Val d'Aosta Alexis i Henri Brocherelowie i Hindus Kabir Buratoki. Nie jest przypadkiem, że w tych wydarzeniach pojawiają się raz po raz nazwiska członków pierwszych wypraw na Mount Everest.

Himalaje Garhwal, obok wspaniałych gór przekraczających wysokość 7000 m, obejmują również wiele innych niższych, ale trudniejszych szczytów. Te góry, zdobyte po raz pierwszy znacznie później, należą obecnie do ulubionych miejsc najlepszych wspinaczy świata. Wierzchołek Changabang (6864 m) został zdobyty dopiero w 1974 roku przez świetną wyprawę angielsko-indyjską, której członkami byli Chris Bonington, Martin Boysen, Doug Scott, Dougal Haston, Balwant Sandhu i Tashi Chewang. W tym samym roku indyjska ekipa wojskowa pod kierunkiem H. Singha dokonała pierwszego wejścia na Shivling, strzelisty „Fallus Sziwy" wznoszący się na 6543 m, którego północna ściana dominuje nad źródłami Gangesu i lodowcem Gangotri. Shivling, który w okresie międzywojennym został ochrzczony jako Matterhorn Himalajów, jest zakończony dwoma szczytami rozdzielonymi ośnieżonym siodłem.

W ciągu ostatnich trzech dziesięcioleci wyprawy alpinistyczne z całego świata kolejno otwierały nowe drogi na Shivling. Na grań wschodnią wspięła się w 1981 roku międzynarodowa ekspedycja pod kierunkiem Georgesa Bettembourga, Grega Childa, Ricka White'a, Douga Scotta, ścianę północną zaś zdobyli w 1986 roku Włosi Paolo Bernascone, Fabrizio Manoni i Enrico Rosso. Na ścianę tę częściowo wspięła się wyprawa japońska w 1980 roku, a wejście dokończyli 13 lat później pochodzący z Tyrolu Hans Kammerlander i Christoph Hainz. Nadal wielu próbuje wejść trasą pierwszego wejścia, ale niewielu się to udaje.

Góra Kailas

CHINY

Tylko jedna z budzących największą grozę i sławnych gór nie została jeszcze pokonana przez człowieka. Jest to góra Kailas (lub Kailash), skalisty szczyt, którego ukoronowaniem jest poszarpany stożek, pokryty śniegiem i lodem, wznoszący się na wysokość 6714 m, dominujący nad pustynnymi dolinami zachodnio-środkowego Tybetu. Pierwszym Europejczykiem, który skierował na nią swój wzrok, był Ippolito Desideri, jezuita z Toskanii, który podróżował po tym regionie w 1715 roku. Najbardziej wzruszającego opisu dokonał Heinrich Harrer, austriacki alpinista, internowany w 1939 roku przez Brytyjczyków uciekł z obozu, przekroczył Himalaje pieszo i opisał swoje przygody w słynnej książce *Siedem lat w Tybecie*. „W krajobrazie dominował szczyt Gurla Mandhata o wysokości 25 000 stóp (7694 m); mniej rzucająca się w oczy, ale znacznie bardziej słynna była święta góra Kailas, niższa o 100 metrów, odseparowana od pasma Himalajów. Kiedy ją zobaczyliśmy, nasi Tybetańczycy padli na twarz i zaczęli się modlić" – pisał Harrer. Górę Kailas uważają za świętą wyznawcy czterech religii. Hinduiści nazywają ją Mount Meru, buddyści Gang Rimpoche, ale jedni i drudzy uznają ją za centrum wszechświata. Wyznawcy starożytnej religii bon, nadal szeroko rozpowszechnionej w najbardziej niedostępnych obszarach Tybetu wierzą, że jest to miejsce, w którym zstąpił z nieba na ziemię założyciel ich sekty. Z kolei dżainiści wierzą, że pierwszy prorok ich wiary pozbył się grzechów na górze Kailas. U stóp góry, 4557 m nad poziomem morza, jezioro Manasarovar przyciąga pielgrzymów z całych Indii, natomiast wierni z Tybetu gromadzą się, by odbyć wędrówkę wokół góry. Od wiosny do jesieni setki mężczyzn i kobiet podążają długą na 51 km ścieżką *kora* okrążającą górę, przekraczając przełęcz Drolma La (5475 m). Niektórzy pielgrzymi odbywają tę drogę, padając całym ciałem na ziemię, pragnąc uzyskać w ten sposób jeszcze większą doskonałość. Natomiast podróż do podnóża góry Kailas, z niektórych regionów Tybetu, odbywana ciężarówką, trwa wraz z powrotem cztery tygodnie. W czerwcu uroczystości Saga Dawa przyciągają tysiące pielgrzymów do Tarboche. Od 2000 roku mówi się o projekcie drogi wokół góry Kailas, co nie tylko byłoby afrontem wobec narodu tybetańskiego, ale również wielkim zgrzytem estetycznym.

168. Pielgrzym tybetański modli się przed północno-wschodnią ścianą góry Kailas.

169. Oślepiająca biel letniego śniegu czyni północną ścianę góry Kailas jeszcze bardziej malowniczą.

170–171. Zachodzące słońce oświetla surową północną ścianę góry Kailas. Postawienie stopy na wierzchołku góry stanowiłoby wielką obrazę dla setek milionów wiernych, którzy uważają górę za świętą i środek wszechświata.

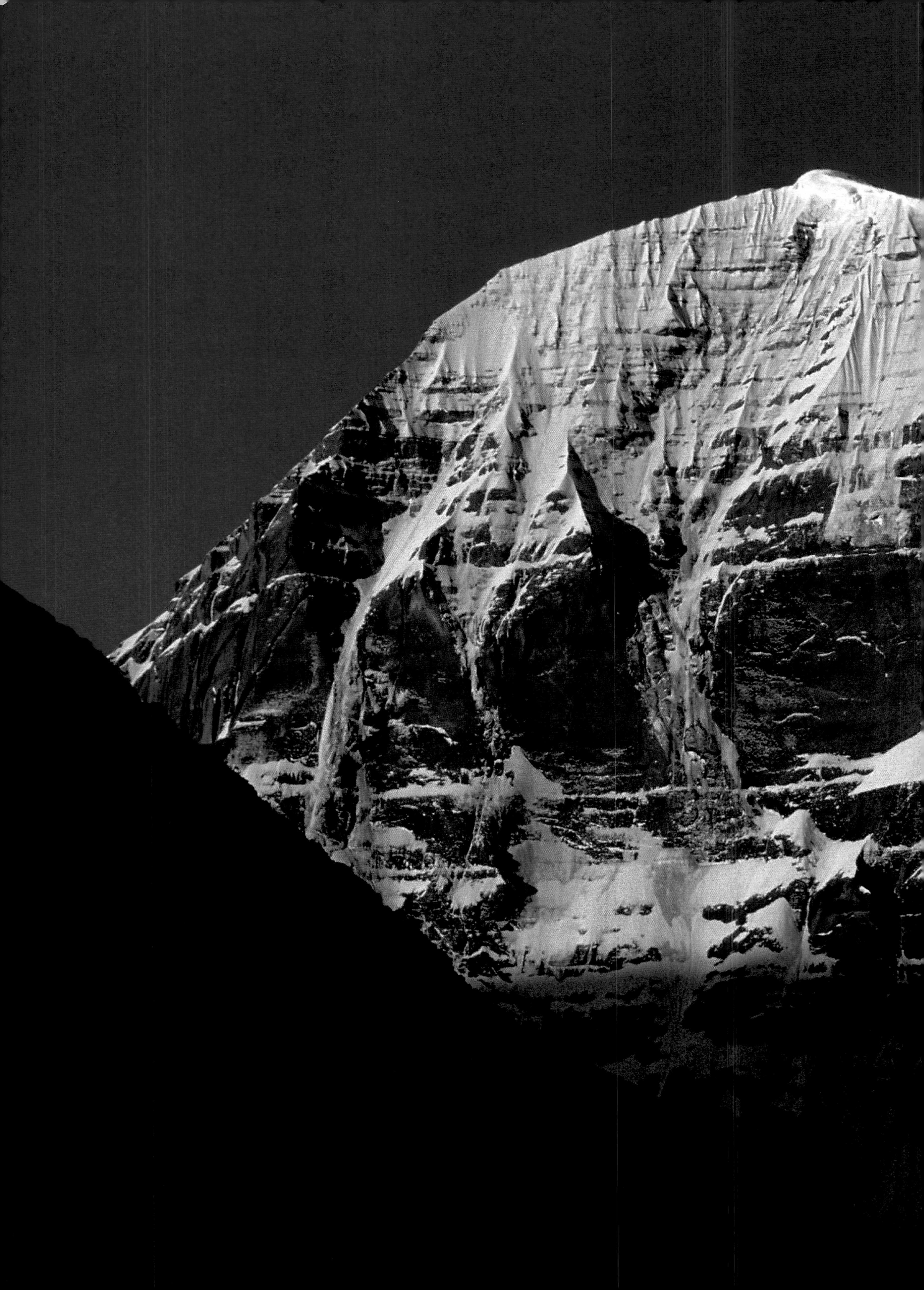

172–173. Wspaniały masyw Lamjung Himal, o znajomym alpejskim wyglądzie, ale w większej skali, wznosi się na wysokość 6986 m zaraz na południowy wschód od Annapurny IV (7525 m) i Annapurny II (7937 m).

172 u dołu. Kruche zbocza ze skały zlepieńcowej zwrócone w stronę rzeki Marsyangdi Khola, z której biegiem wędrują turyści, idąc szlakiem wokół Annapurny.

173. Południowa ściana Annapurny, jednej z najwyższych i najgroźniejszych gór Himalajów, wita turystów przybywających do kotliny znanej jako Sanktuarium.

Annapurna

NEPAL

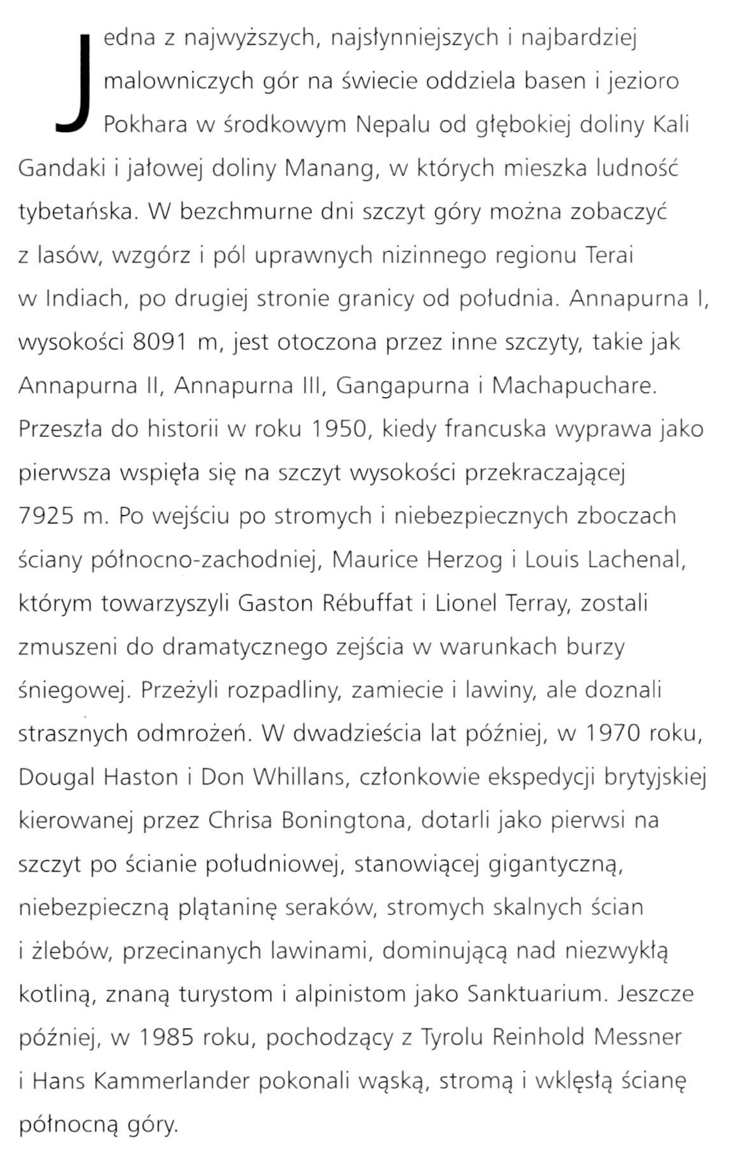

Jedna z najwyższych, najsłynniejszych i najbardziej malowniczych gór na świecie oddziela basen i jezioro Pokhara w środkowym Nepalu od głębokiej doliny Kali Gandaki i jałowej doliny Manang, w których mieszka ludność tybetańska. W bezchmurne dni szczyt góry można zobaczyć z lasów, wzgórz i pól uprawnych nizinnego regionu Terai w Indiach, po drugiej stronie granicy od południa. Annapurna I, wysokości 8091 m, jest otoczona przez inne szczyty, takie jak Annapurna II, Annapurna III, Gangapurna i Machapuchare. Przeszła do historii w roku 1950, kiedy francuska wyprawa jako pierwsza wspięła się na szczyt wysokości przekraczającej 7925 m. Po wejściu po stromych i niebezpiecznych zboczach ściany północno-zachodniej, Maurice Herzog i Louis Lachenal, którym towarzyszyli Gaston Rébuffat i Lionel Terray, zostali zmuszeni do dramatycznego zejścia w warunkach burzy śniegowej. Przeżyli rozpadliny, zamiecie i lawiny, ale doznali strasznych odmrożeń. W dwadzieścia lat później, w 1970 roku, Dougal Haston i Don Whillans, członkowie ekspedycji brytyjskiej kierowanej przez Chrisa Boningtona, dotarli jako pierwsi na szczyt po ścianie południowej, stanowiącej gigantyczną, niebezpieczną plątaninę seraków, stromych skalnych ścian i żlebów, przecinanych lawinami, dominującą nad niezwykłą kotliną, znaną turystom i alpinistom jako Sanktuarium. Jeszcze później, w 1985 roku, pochodzący z Tyrolu Reinhold Messner i Hans Kammerlander pokonali wąską, stromą i wklęsłą ścianę północną góry.

W 1950 roku, kiedy Maurice Herzog i jego towarzysze rozpoczynali wchodzenie na szczyt, brytyjski badacz i alpinista Harold Tilman wspiął się doliną Marsyangdi Khola do Manang i dokonał próby wejścia na Annapurnę II (7944 m). Następnie, po przejściu przełęczy Thorong La, zszedł doliną Kali Gandaki, przecierając w ten sposób jeden z najpopularniejszych obecnie szlaków trekkingowych na świecie.

Annapurna, chociaż została zdobyta wcześniej niż inne wielkie szczyty Himalajów, nadal pozostaje górą niebezpieczną i trudną. Ze wszystkich szczytów wysokości przekraczającej 7925 m, Annapurna jest zdobywana najrzadziej i należy do tych, które pochłonęły najwięcej ofiar, ale ścieżki biegnące wokół góry u jej podnóża, po których co roku przechodzi 50 000 turystów, nie są ani trudne, ani niebezpieczne. Odwiedzających przyciągają nie tylko wyniosłe szczyty (obok Annapurny, Machapuchare i pobliskich szczytów, wznoszących się na wysokość ponad 7010 m, można zobaczyć również Dhaulagiri i Manaslu, siódmą i dziewiątą pod względem wysokości górę świata), ale również różnorodność krajobrazów, mozaika grup etnicznych, surowe świątynie buddyjskie i sanktuaria hinduistyczne z wydobywającymi się z ich wnętrza zapachami i dźwiękami. W lasach można napotkać także drzewa tropikalne, iglaste i bambus. Nad głowami latają orły i ostrosępy brodate, a ci, którym sprzyjać będzie szczęście, mogą nawet zobaczyć rzadkiego lamparta śnieżnego. Ktoś, kto chce obejść całą Annapurnę, musi poświęcić na to miesiąc, ci zaś, którzy mają mniej czasu, mogą wybrać jeden z dwóch krótszych, ale równie fascynujących szlaków. Ścieżką prowadzącą z Birethanti w górę do Sanktuarium można dojść w ciągu tygodnia. Na wejście z pól ryżowych Besi Sahar do jałowej doliny Manang, przez znajdującą się na wysokości 5416 m przełęcz Thorong La i w dół ku Kali Gandaki i dolnemu regionowi Mustang potrzeba dwóch lub trzech tygodni. Pierwszy szlak jest łatwiejszy, bardziej ruchliwy, cieplejszy i bardziej efektowny,

natomiast drugi, ciągle zmieniający się, stanowi podróż przez minione lata w sercu Himalajów. Zalew turystów sprawił, że doliny leżące u stóp Annapurny są jedynym obszarem górskim w Nepalu, w którym proces wyludniania został zahamowany a nawet odwrócił się. Przyczynia się do tego również ustanowienie w 1986 roku Obszaru Ochronnego Annapurna (Annapurna Conservation Area), obejmującego obszar 7600 km^2. Jest to jeden z największych obszarów chronionych w Nepalu i całych Himalajach, na którym udaje się z powodzeniem pogodzić ochronę środowiska z rozwojem gospodarczym. Poza zalesianiem i badaniami rzadkich gatunków zwierząt, takich jak lampart śnieżny i ostrosęp brodaty, zespół zarządzający buduje wodotryski i wodociągi, naprawia mosty i szlaki oraz odnawia pomniki i klasztory. Nadal jednak u stóp góry pozostaje dość miejsca dla człowieka.

AZJA

Annapurna

174 u góry. Na Annapurnę, dziesiątą pod względem wysokości górę świata (8091 m), alpiniści wspinają się znacznie rzadziej niż na Everest, najwyższy szczyt świata: od 1950 roku do 2005 zaledwie 103 ludzi dotarło na jej wierzchołek.

174 pośrodku i dołu. Masyw Annapurny ciągnie się na długości 55 km i składa się z 7 szczytów wysokości powyżej 7200 m. Taką wysokość przyjęto dla określenia dolnej granicy najwyższych gór świata.

174–175. Alpinista wspina się na stromą, północno-zachodnią grań Annapurny. Budzące grozę lodowe wodospady spływają ku dolinie Miristi Khola.

176–177. Poszarpane ośnieżone granie i żleby po wschodniej stronie Sanktuarium Annapurny, między Gandharba Chuli i Machapuchare.

178–179. Świt oświetla skały i lodową pokrywę szczytu Tent Peak (znanego także jako Tarpu Chuli, 5663 m), z którego widać Sanktuarium i masyw Annapurny.

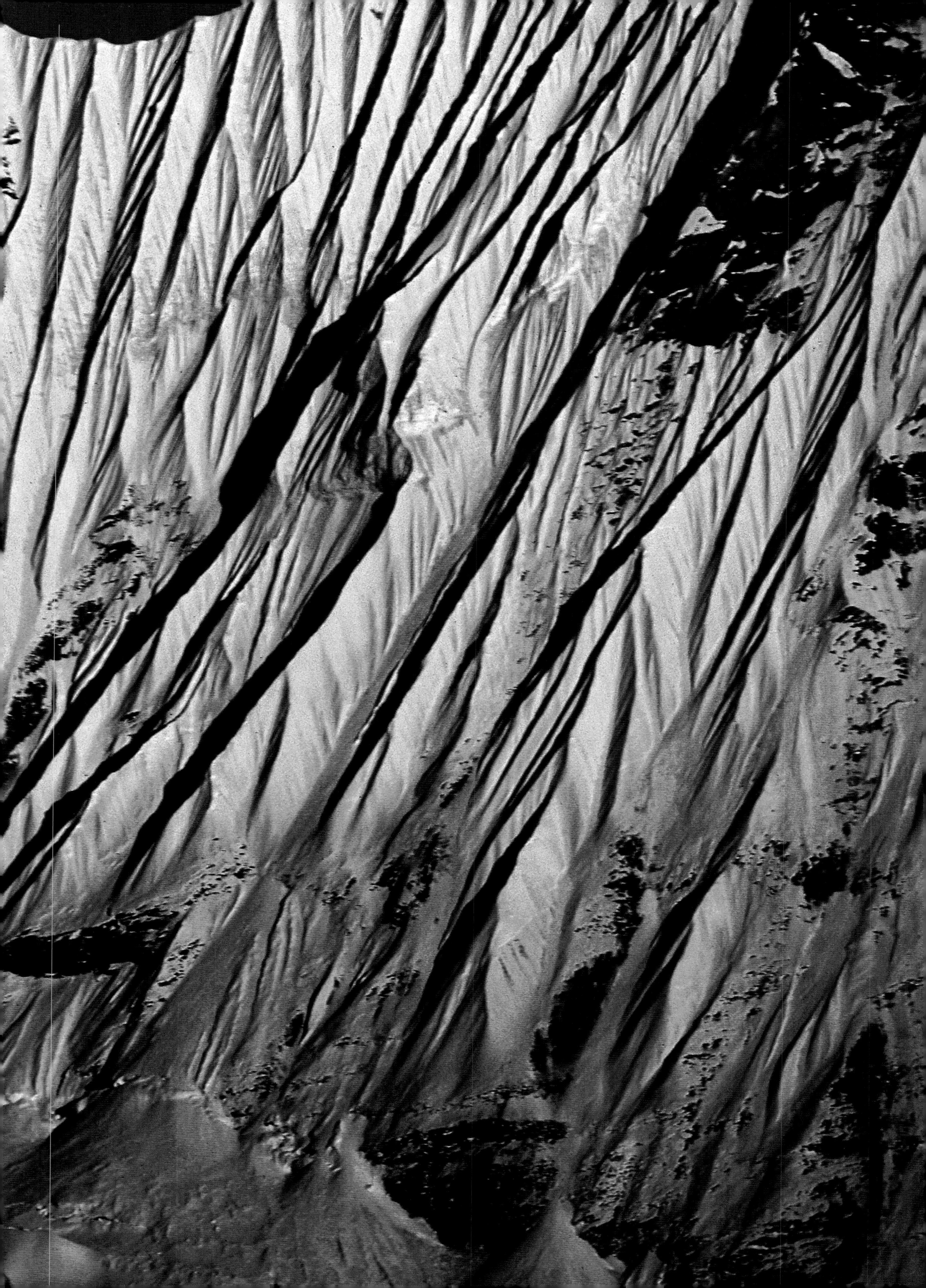

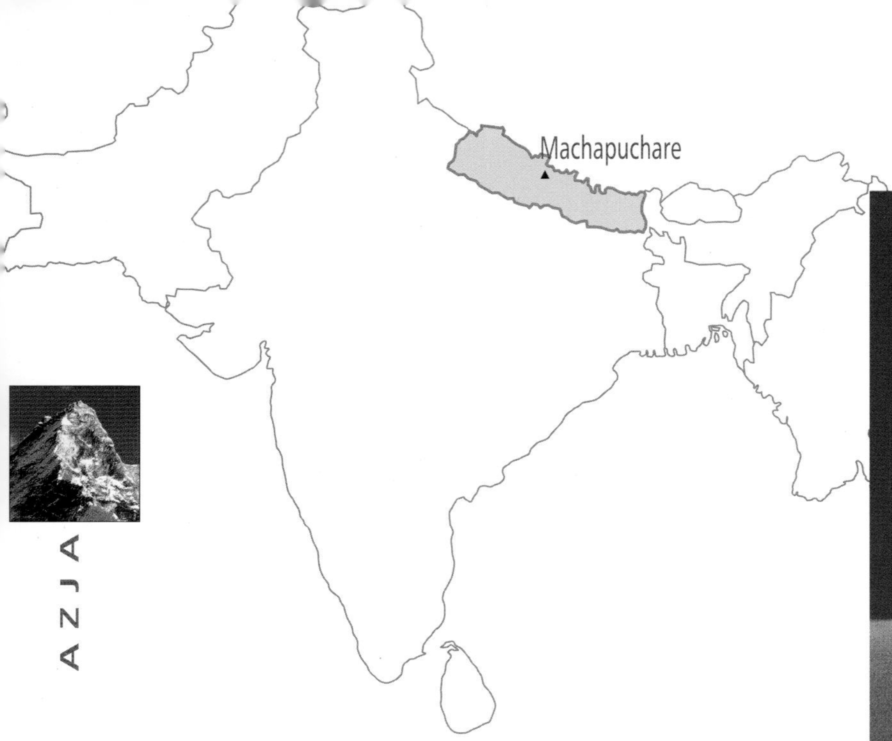

Machapuchare

NEPAL

Z południowej strony jednej z najczęściej fotografowanych gór Himalajów leży dolina i jezioro Pokhara w Nepalu, natomiast jej pokryte lodem skalne ściany dominują nad doliną Modi Khola, gęsto pokrytą drzewami tropikalnymi i zaroślami bambusowymi. Jeśli chodzi o samą wysokość, to Machapuchare osiągająca 6993 m w porównaniu do Annapurny i innych otaczających ją szczytów, przekraczających 7000 m, jest górą podrzędną. Jednak kształt tego podwójnego szczytu sprawia, że stał się on jednym z symboli nepalskich Himalajów. Co roku tysiące turystów przemierzają żmudny szlak prowadzący w górę przez pola i wioski od Birethanti do Ghandrung ku Chomrong i dalej do doliny Modi Khola i amfiteatru Sanktuarium, stanowiącego bardzo popularny cel turystyczny. Po jednym lub dwóch dniach wędrówki z Chomrong dochodzi się do moreny basenu i małej grupy schronisk, z których rozlega się wspaniały widok na Annapurnę. Machapuchare dominuje w krajobrazie w Birethani, ale stopniowo Południowa Annapurna i pobliskie szczyty stają się coraz bardziej okazałe, zanim Machapuchare prawie nie zniknie z pola widzenia przedzierających się przez gęsty las turystów. Skalne ściany i oblodzone, wyżłobione przez lawiny zbocza zachodniej ściany odzyskują swój majestat w świetle zachodzącego słońca w Sanktuarium. Chociaż góra widziana z Pokhary wydaje się mieć tylko jeden szczyt, to z podnóży Annapurny widać wyraźnie jej bliźniacze wierzchołki, które dzieli 8 m wysokości i ośnieżone siodło. Od tych wierzchołków pochodzi nazwa góry: Machapuchare oznacza w języku nepalskim „Rybi ogon". Alpiniści nie wchodzą na ten dominujący nad doliną Modi Khola szczyt, pomimo wrażenia, jakie sprawia i sławy, jaką cieszy się wśród turystów. Od 1957 roku, kiedy dokonano pierwszego wejścia, rząd nepalski i górale Gurung, uważający górę za świętą, odmawiają pozwoleń na wyprawy. Nawet ekspedycja brytyjska, która pierwsza zdobyła szczyt, miała kłopoty z uzyskaniem potrzebnych pozwoleń. W 1957 roku alpiniści, by móc spróbować wejścia musieli obiecać, że będą szanować święty charakter góry, unikając spożywania mięsa i zabijania żywych istot u jej stóp, nie wolno było im też podeptać dziewiczego śniegu leżącego na wierzchołku. 28 maja 1957 Wilfrid Noyce i David Cox dokonali wielkiego wyczynu, dochodząc prawie do szczytu i zatrzymując się zaledwie 45 m poniżej niego, u stóp czterech lub pięciu filarów pokrytych błękitnym lodem i przypominających szpony smoka. Rezygnacja z dalszej wspinaczki stanowiła znak zgody i szacunku.

180–181. Machapuchare („Rybi ogon") góruje nad pokrytymi lasami wyżynami rozdzielającymi doliny Modi Khola i Mardi Khola.

181 u dołu. Zachodzące słońce oświetla oblodzone ściany i trójkątny szczyt Machapuchare. Ta strzelista góra, mimo swojej względnie skromnej wysokości (6993 m), wyróżnia się wśród innych szczytów tworzących wschodnią granicę Sanktuarium Annapurny.

182–183. Chociaż efektowny wygląd Machapuchare sprawia, że jest ona marzeniem wielu alpinistów, to wstęp na nią jest zabroniony. Od czasu wyprawy brytyjskiej z 1957 roku, której członkowie pod kierunkiem Wilfrida Noyce'a i Davida Coxa musieli zatrzymać się 45 m poniżej szczytu, rząd nepalski odmawia pozwoleń innym ekspedycjom. Machapuchare oglądana z miasta Pokhara, leżącego na południe od pasma, jest najwyraźniejszą górą, znacznie lepiej widoczną niż Annapurna.

Mount Everest

NEPAL–CHINY

Najwyższa góra świata wznosi się na granicy pomiędzy Nepalem a Tybetem. W świecie zachodnim znana jest pod nazwą pochodzącą od nazwiska brytyjskiego geodety Sir George'a Everesta, pierwszego generalnego geometry dokonującego pomiarów Indii, który zidentyfikował i zmierzył tę górę w XIX wieku, natomiast Nepalczycy nazywają ją Sagarmatha, a Tybetańczycy i Szerpowie Czomolungma. Wysokość szczytu (8848 m) na podstawie ostatnich pomiarów dokonanych przez zespoły amerykańskie i włoskie określono na 8850 m. Należy oddać hołd brytyjskim mierniczym Indii, którzy ze względu na zamknięcie granicy nepalskiej dokonali swoich niezwykle dokładnych pomiarów z odległości ponad 96 km. Everest, ukształtowany z czarnej i żółtawej skały (głównie gnejsu), mający po południowej stronie szczyty Lhotse (Lhotes) – trzeci pod względem wysokości szczyt świata – i Nuptse (Nupce), można zobaczyć z Płaskowyżu Tybetańskiego, ale od południa jego widok prawie całkowicie zasłaniają sąsiednie góry. Heroiczne czyny, jakich dokonywano podczas zdobywania Mount Everestu, znane są na całym świecie. Górę, która ze względu na zamknięcie granic Tybetu i Nepalu, była przez długi czas niedostępna, można było zobaczyć z bliska, kiedy 13 Dalajlama (poprzednik obecnego Dalajlamy) udzielił ekspedycji brytyjskiej pozwolenia na dostęp do Czomolungmy. Grupa ta w ciągu 18 lat dokonała siedmiu prób dotarcia do szczytu, ale zawsze była zmuszana do zejścia, chociaż kilku jej członków osiągnęło wysokości przekraczające 8530 m – Norton w 1924 roku, Wyn Harris i Wager w 1933, Smythe i Shipton w 1938. Najsłynniejsza i najtragiczniejsza próba miała miejsce w 1924 roku. George Mallory i Andrew Irvine opuścili obóz na wysokości 8170 m, by zniknąć wśród chmur. Chociaż trudności ostatniego odcinka każą wątpić, by mogli oni dotrzeć do szczytu, to jednak nie można niczego twierdzić z pewnością. Odkrycie ciała Mallory'ego w 1999 roku nie przyczyniło się w niczym do rozwiązania tajemnicy.

Inwazja chińska po drugiej wojnie światowej spowodowała ponowne zamknięcie granic tybetańskich, ale za to swoje granice dla cudzoziemców otworzył Nepal. W 1951 roku ekipa brytyjska zbadała drogę wejścia od strony południowej, w 1952 roku zespół szwajcarski osiągnął wysokość 8500 m i wreszcie w 1953 roku Nowozelandczyk Edmund Hillary i Szerpa Tenzing Norgay, należący do ekspedycji brytyjskiej, kierowanej przez Johna Hunta, dotarli do szczytu. Cały świat cieszył się z ich zwycięstwa. Jednak historia Everestu nie zatrzymała się w tym momencie. W 1958 roku ekspedycja wspięła się Granią Zachodnią, w 1960 roku zespół chińsko-tybetański dotarł na szczyt od strony północnej, w 1974 Brytyjczycy wspięli się na ścianę południowo-zachodnią, w 1983 zaś wyprawa amerykańska zdobyła olbrzymią ścianę Kanshung. Również Reinhold Messner pozostawił tutaj swój ślad, dokonując pierwszego wejścia bez tlenu (z Peterem Habelerem) w 1978 roku i pierwszego wejścia solowego w 1980. W ostatnich latach na górze zrobiło się bardzo tłoczno. Liczba alpinistów, którzy dotarli na szczyt, urosła od 25 w 1978 roku, do 146 w 2000 i 500 w 2006. 12 ofiar w maju 1996 roku i 10 w 2006 przypomina, że „dach świata" nadal jest niebezpiecznym miejscem. Everest znajduje się pod ochroną nepalskiego Parku Narodowego Sagarmatha, obejmującego 1148 km^2 i olbrzymiego chińskiego Rezerwatu Przyrody Czomolungma (34 000 km^2), znajdującego się pod zarządem Autonomicznego Regionu Tybetu.
W tych dwóch chronionych obszarach znajdują się lodowce, lasy rododendronów, rzadka flora i fauna wysokogórska, np. lamparty snieżne i himalajski thar.

Oba ośrodki goszczą naukowców z całego świata. Uczeni włoscy, których bazą jest Piramida znajdująca się na wysokości 4999 m po nepalskiej stronie góry, badają erozję gleby, skażenie środowiska i rozwój 45 jezior lodowcowych Parku, grożących powodziami położonym niżej dolinom i wioskom.

184–185. Ostatnie metry wejścia na szczyt Mount Everestu od strony nepalskiej lub tybetańskiej biegną po łatwych śnieżnych graniach.

185 u dołu z lewej. Na stromą południowo-zachodnią ścianę Everestu wspięła się w 1975 roku wyprawa brytyjska kierowana przez Chrisa Boningtona.

185 u dołu z prawej. Ośnieżony majestatyczny szczyt Pumori (7160 m) przedstawia wspaniały widok dla turystów wędrujących szlakiem Khumbu. Wznosi się on nad obozem podstawowym, który zakładany jest na okres od marca do końca maja na lodowcu Khumbu, u stóp nepalskiej trasy na szczyt.

188–189. Widok północnej ściany Everestu z bruzdami Kuluaru Nortona (lub Wielkiego) z lewej i Kuluaru Hornbeina – staje się o zachodzie słońca wspaniałym widowiskiem. Zachodnią Grań, z prawej, zdobyto w 1963 roku.

190–191. Mount Everest górujący nad wszystkimi swoimi gigantycznymi sąsiadami, ledwie oświetlony promieniami słońca, które ślizgają się również po szczycie Makalu (8463 m) z prawej, poniżej księżyca.

186–187. Olbrzymie rozpadliny i wielkie nadwisające seraki sprawiają, że lodowy wodospad Khumbu jest najbardziej niebezpiecznym etapem trasy nepalskiej na Mount Everest.

Każdego roku Szerpowie mocują na przejściu liny i chybotliwe metalowe drabiny, jednak miejsce to pozostaje bardzo niebezpieczne.

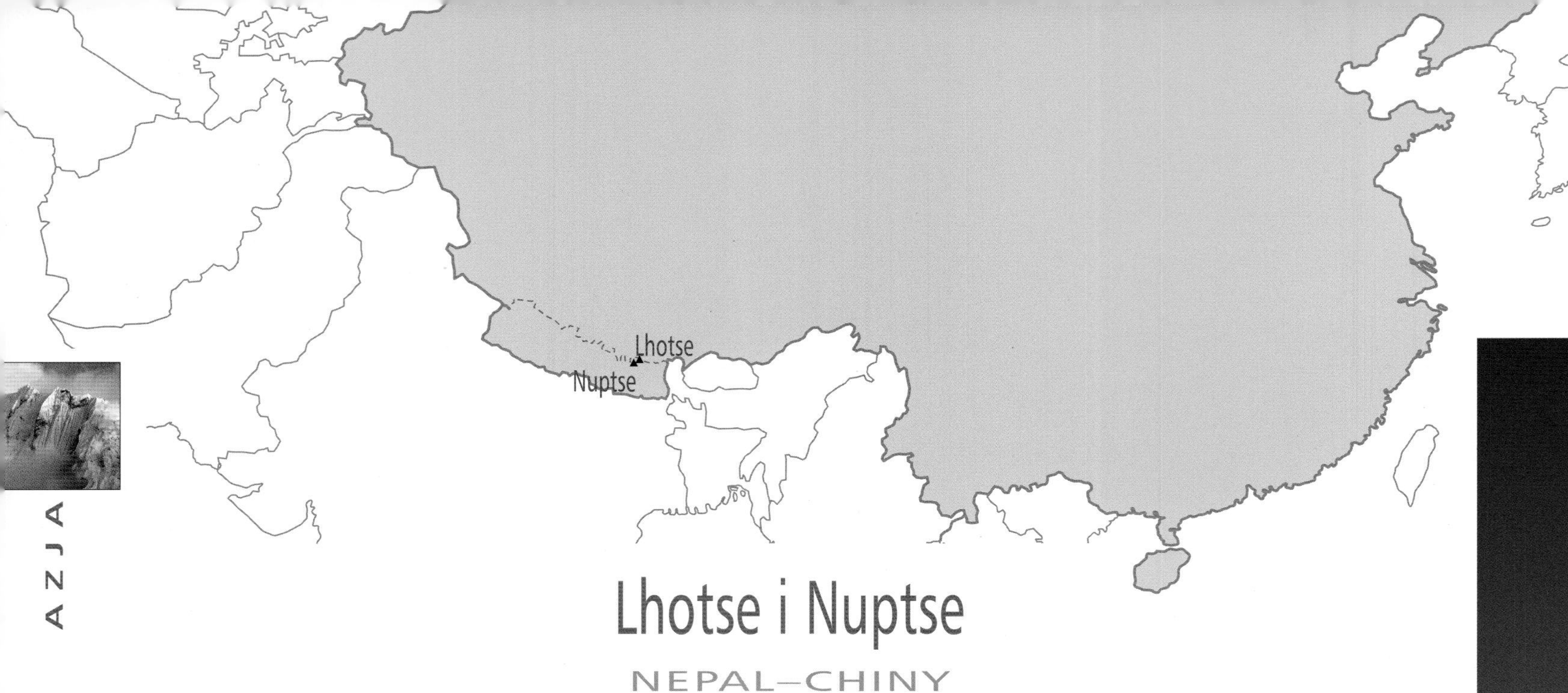

Lhotse i Nuptse

NEPAL–CHINY

Mount Everest nie jest samotnym olbrzymem: inne gigantyczne góry razem z najwyższym i najsłynniejszym szczytem świata tworzą jeden z najwspanialszych masywów himalajskich. Ich nazwy w języku tybetańskim i dialekcie Szerpów oznaczają strony świata.

Przy Lhotse (Lho-tse oznacza „Południowy szczyt") wysokości 8500 m, czwartej pod względem wysokości górze świata stoi dziki i potężny Lhotse Shar („Południowo-wschodni szczyt"), za którym ciągnie się szereg siedmiotysięczników, takich jak Shartse i Peak 38 dalej na wschód.

Kolejnego wspaniałego widoku dostarczają ośnieżone granie Nuptse („Zachodni szczyt", 7861 m). Grań wznosi się nad odcinkiem, który przebywają w ostatnim dniu wędrówki turyści wchodzący z Namche Bazaar i Lobuche do Kala Pattar i nepalskiego obozu podstawowego, i zamyka Zachodni Kocioł (West Cwm) ogromną ścianą ze śniegu i lodu. Przez kocioł przechodzą alpiniści kierujący się do Przełęczy Południowej (South Col) i na najwyższy szczyt świata.

Chociaż te trzy niezwykłe góry są nieco niedoceniane wskutek bliskości Everestu, to jednak ich ściany i granie przecinają jedne z najniebezpieczniejszych i najbardziej wymagających tras w Himalajach, a kilka z nich czeka jeszcze na zdobycie.

Trasa, jaką przetarli w 1956 roku Szwajcarzy Fritz Luschinger i Ernst Reiss przy pierwszym wejściu na Lhotse symbolizuje ścisły związek tej góry z Everestem. Szlak ten w dużym stopniu zbiega się z drogą wejścia na Everest z terytorium Nepalu, prowadząc przez wodospad lodowy Khumbu, Zachodni Kocioł (West Cwm) i zachodnią ścianę Lhotse.

Droga wspinaczki na szczyt Lhotse, która również obecnie jest często wykorzystywana, zbacza z drogi na Everest, biegnąc w kierunku Przełęczy Południowej i dochodząc do wierzchołka po śnieżnych zboczach i trudnych odcinkach lodowo-skalnych. Pochodzący z Tyrolu Reinhold Messner przeszedł tą drogą w październiku 1986 roku, stając się pierwszym człowiekiem, który zdobył wszystkie czternaście ośmiotysięczniki świata.

Nie da się niedocenić olbrzymiej wschodniej ściany Lhotse, wznoszącej się ponad dolinę Kangshung w Tybecie, leżącą pomiędzy Everestem, Chomo Lonzo i Makalu. Niezwykłość ściany wschodniej polega również na jej pięknie i wielkości. Dominuje ona nad doliną Chukhung i często uczęszczanym szlakiem, łączącym Namche Bazaar z klasztorem Tengboche. W latach 80. XX wieku ściana ta stała się jednym z najsłynniejszych „ostatnich problemów" Himalajów, ale w 2001 roku udało się na nią wspiąć ekspedycji rosyjskiej.

Od 1975 roku wielu spośród współczesnych himalaistów starało się pokonać południową ścianę Lhotse. W 1989 roku polski himalaista Jerzy Kukuczka (drugi po Reinholdzie Messnerze człowiek, który wszedł na wszystkie czternaście ośmiotysięczniki) stracił życie na tej ścianie. W 1990 roku Słoweniec Tomo Cesen dokonał pierwszego samotnego wejścia, ale trzy miesiące później sowiecka ekipa, która weszła na szczyt inną trasą, oskarżyła Cesena, że nie dokończył wejścia, co zapoczątkowało zaciekły, trwający latami spór.

Niewielu pamięta pierwsze wejście na południową ścianę, dokonane w 1984 roku przez wyprawę czeską, która przetarła po prawej stronie ściany szlak ku szczytowi Lhotse Shar, będącemu razem ze szczytem Yalung Kang Kanczendzongi jednym z najwspanialszych ośmiotysięczników nieuwzględnionych na oficjalnej liście.

Podobnie pierwsze wejście na Nuptse (Nupce) po ścianie południowej, dokonane przez Brytyjczyków Dannisa Davisa, Chrisa Boningtona, Lesa Browna i Jima Swallowa oraz Szerpów Tashi i Pemba w 1961 roku z pewnością nie należy do najsłynniejszych podbojów w Himalajach. Strome współczesne szlaki po lodzie i skałach przetarte na północno-wschodniej ścianie Nuptse przez amerykańskie i włoskie wyprawy cieszą się znacznie większą popularnością.

Jednak nadal pozostało do przetarcia jeszcze wiele szlaków prowadzących na szczyty otaczające Mount Everest od południa i wschodu. Przejścia okolonej olbrzymimi półkami grani, łączącej Lhotse z Lhotse Shar czy nawet bardziej delikatnej i dzikiej, dochodzącej tutaj od Nuptse oraz biegnącej dalej ku Przełęczy Południowej i Everestowi, należą do największych celów himalaistów na najbliższe lata. Wiele ważnych rozdziałów historii zdobywania tych szczytów nadal czeka na ich napisanie.

192–193. Szczyt Lhotse (Lhoce) widziany z Kala Pattar, klasycznego punktu widokowego doliny Khumbu znajduje się między Everestem (z lewej) i Nuptse (Nupce). Tradycyjna trasa prowadzi w górę zalanych słońcem zboczy. Przełęcz Południową (South Col) widać między Everestem a Lhotse, natomiast lodowy wodospad Khumbu znajduje się u dołu.

193 u dołu. Lhotse, widziana z ośnieżonych półek znajdujących się wzdłuż północno-zachodniej grani Everestu, wznosi się w dolnym lewym rogu zdjęcia. Jest to czwarta pod względem wysokości góra świata (8516 m).

194–195. Nuptse (7879) z jej charakterystycznym „garbem" widać z lewej strony zdjęcia. Zamyka ona od strony południowej wejście doliny Khumbu, znane jako Zachodni Kocioł (West Cwm). Nazwa góry oznacza w języku tybetańskim „Zachodni szczyt" i odnosi się do jej położenia w masywie Lhotse–Nuptse.

196–197. Skalne ściany Lhotse i lodowe półki zalane ciepłym światłem słonecznym stanowią niezwykłe widowisko dla obserwatorów podziwiających ośmiotysięczniki regionu Khumbu.

AZJA

Ama Dablam

NEPAL

Zachody słońca w Tengboche (Thyangboche) należą do najpiękniejszych na świecie. Kiedy cienie wokół klasztoru wydłużają się, mnisi i nowicjusze przerywają modlitwy i wychodzą na zewnątrz, by ogrzać się w ostatnich promieniach, mieszając się z turystami z całego świata. Potem, gdy słońce zejdzie ze ścian i wieżyczek najczęściej fotografowanego nepalskiego klasztoru buddyjskiego, powietrze na wysokości 3657 m robi się chłodne, a góry stają się sceną niezwykłego przedstawienia.

Słońce, zanim zniknie, zdąży oświetlić południową ścianę Lhotse i wyłaniający się zza niej wierzchołek Everestu. Jednak przedtem oświetla jeszcze niezwykłe szczyty wznoszące się na wysokość ponad 6000 m powyżej południowej ściany doliny Dudh Kosi. Kangtega i Thamserku wieńczą koronkowe czapy z lodu i śniegu, podobnie jak Kusum Kangguru, zwrócone w stronę miasta Lukla. Jednak dominującym w krajobrazie szczytem jest Ama Dablam (6856 m), imponujący wspaniałą lodową ścianą.

„Thyangboche musi być jednym z najpiękniejszych miejsc na ziemi" – powiedział John Hunt, kierownik wyprawy brytyjskiej, która doprowadziła Edmunda Hillary'ego i Tenzinga Norgaya do szczytu Everestu w 1953 roku. Hunt, opisując klasztor stwierdził, że ma on niezwykły średniowieczny wygląd i służy jako niezrównane miejsce do kontemplowania najpiękniejszego krajobrazu górskiego, jaki kiedykolwiek widział.

Hillary po zdobyciu Mount Everestu wielokrotnie powracał do kraju Szerpów, najpierw jako kierownik wypraw badawczych i himalaistycznych, następnie by przekazywać mieszkańcom Khumbu szkoły, mosty, lotniska, szpitale i Park Narodowy Sagarmatha. W 1959 roku najsłynniejszy nowozelandzki himalaista wszechczasów wspierał również ekspedycję poszukującą yeti. Czterech członków wyprawy – brytyjscy himalaiści Mike Ward i Mike Gill, Amerykanin Barry Bishop i Nowozelandczyk Wally Romanes – dokonało pierwszego wejścia na Ama Dablam po strzelistej, pokrytej lodem grani z ogromnymi półkami.

Przez lata himalaiści, często pokonując znaczne trudności, wspinali się na granie i ściany szczytu. Jednak większość skupia się na trasie, która w ciągu lat 90. XX wieku stała się jednym z najpopularniejszych celów wypraw komercyjnych.

Piękno Ama Dablam i znaczna wysokość jej szczytu przyciągają wielu alpinistów, chociaż gzymsy i pionowe spadki grani każą zawracać tym, którym brakuje technicznego doświadczenia. Na morenie u stóp Ama Dablam można natknąć się na ślady łap lamparta leśnego, który w ostatnich latach powrócił w doliny najwyżej na świecie położonego parku narodowego.

198–199. Północno-zachodnią ścianę Ama Dablam można zobaczyć ze szczytu lodowca Khumbu podczas podchodzenia do podstawowego obozu na Evereście. Wejście po tej ścianie jest trudniejsze od trasy po grani południowo-zachodniej, na którą wspięto się po raz pierwszy w 1961 roku.

200–201. Najsłynniejszą i najczęściej fotografowaną ścianę Ama Dablam, wznoszącą się ponad wioską i klasztorem Periche, można podziwiać od południowego zachodu. Trasa z 1961 roku przetarta przez Barry Bishopa, Mike'a Gilla, Wally'ego Romanesa i Mike'a Warda podczas wyprawy kierowanej przez Sir Edmunda Hillary'ego, biegnie wzdłuż prawej krawędzi wiszącego lodowca spływającego z wierzchołka i widocznego w postaci białego pasma. Góra znana jako „Klejnot Khumbu", ze względu na swoją okazałość, stanowi stały punkt orientacyjny dla turystów w dolinie Khumbu.

202–203. Widok Makalu z lotu ptaka. Wyprawa francuska, która dokonała pierwszego wejścia na szczyt w 1955 roku, wspinała się po nasłonecznionych zboczach wschodniej ściany, widocznej na zdjęciu z prawej strony.

202 u dołu. Na wyniosłej północnej ścianie Kanczendzongi przetarto pięć tras.

203. Wysoka lodowa ściana Kanczendzongi jest zwrócona w stronę indyjskiego stanu Sikkim. Po próbach podejmowanych w latach międzywojennych tylko kilka wypraw indyjskich otrzymało pozwolenie na wspinanie się z tej strony na trzecią pod względem wysokości górę świata.

204–205. Oddalenie Kanczendzongi i Makalu od nepalskich równin oznacza, że himalaiści i turyści, by dotrzeć do nich, muszą iść przez ponad dwa tygodnie.

206–207. Zdjęcie wykonane o świcie z doliny Kharta w Tybecie, zbadanej w latach 1920 i 1921 przez pierwszych himalaistów zmierzających na Everest, pokazuje budzące grozę dostojeństwo północnych ścian Makalu (z lewej), Lhotse i najwyższej góry świata.

Kanczendzonga i Makalu

NEPAL–CHINY–INDIE

Trzecią i piątą co do wysokości górę świata, obie wznoszące się okazale na wschód od Mount Everestu, można zobaczyć w bezchmurne dni z nepalskiej równiny Terai. Widok Kanczendzongi (8586 m) i Makalu (8463 m) na horyzoncie, za bawołami na pastwisku, stanowi jedną z najbardziej sugestywnych scen przyrody na świecie. Na tej równinie zaczynają się szlaki turystyczne prowadzące do obu gór, będące wymagającą i efektowną alternatywą dla klasycznych tras na Annapurnę i Mount Everest. O ile Makalu, tak samo jak Everest, stoi na granicy z Tybetem, to Kanczendzonga wznosi się na południe od himalajskiego działu wodnego i oddziela Nepal od Sikkim, które stało się częścią Indii w 1962 roku. Widok szczytu z plantacji herbaty w Darjeeling wzbudzał dreszcze u pokoleń podróżników od najdawniejszych czasów. W 1899 roku ekspedycja pod kierunkiem Douglasa Freshfielda odbyła podróż wokół niego, nielegalnie przekraczając granice Nepalu. Później, w latach 1929–1931 trzy wyprawy niemieckie kierowane przez Paula Bauera i Gunthera Oskara Dyrenfurtha próbowały wejść na szczyt od strony Sikkim. Kanczendzonga została wreszcie zdobyta w 1955 roku, kiedy George Band, Joe Brown, Norman Hardie i Tony Streather z małej brytyjskiej wyprawy dotarli na szczyt. Chociaż wejścia dokonano od strony nepalskiej, to Brytyjczycy uszanowali życzenie sikkimskiego choygala (świecki i duchowy przywódca) i zatrzymali się kilka metrów poniżej szczytu, który miejscowa ludność uważa za święty. W 1977 roku ekspedycja indyjska wspięła się na wschodnią ścianę góry i odtąd wyzwaniem dla najlepszych himalaistów świata stała się Kanczendzonga. Byli wśród nich Doug Scott, Pete Boardman i Joe Tasker (1979), którzy dokonali pierwszego wejścia w stylu alpejskim, japońska ekipa kierowana przez M. Konishi (1980), która pierwsza weszła na północną ścianę i ekspedycja rosyjska, która w 1995 roku przeszła przez pięć szczytów.

Historia wyczynów himalaistycznych na Makalu w porównaniu do historii Kanczendzongi jest bardzo krótka. Pierwsza poważna próba wejścia na Makalu dokonana przez ekpedycję francuską w 1955 roku zakończyła się powodzeniem. Do Jeana Couzy i Lionela Terraya dołączyli na szczycie dwaj inni alpiniści francuscy i Szerpa. Późniejsza historia Makalu dotyczy głównie ściany zachodniej, należącej do najtrudniejszych w Himalajach. W ciągu lat otwarto sześć dróg (z których najsłynniejszą jest Filar Zachodni, zdobyty w 1971 roku przez ekipę francuską), chociaż jeszcze nie dokonano wejścia po środkowej części ściany. Na Makalu i Kanczendzondze nadal czeka wiele wyzwań.

208–209 i 208 u dołu. Zimowy widok góry Fudżi, nazywanej przez Japończyków Fuji-san. Wskutek bliskości Oceanu Spokojnego na górze często szaleją w zimie zamiecie.

209. Chociaż Fudżi jest jedną z najczęściej fotografowanych i odwiedzanych gór, to pochodzenie jej nazwy jest niepewne. Sugeruje się, że może ona oznaczać „nie mająca sobie równej", „nieśmiertelna" i „nieskończona".

210–211. Góra Fudżi uważana za „spokojny" wulkan nie jest wolna od niebezpieczeństw wynikających częściowo z jej wysokości (3776 m). Wiek wulkanu określa się na kilkaset tysięcy lat, ale jego obecny kształt powstał zaledwie 10 000 lat temu.

Góra Fudżi

JAPONIA

Ośnieżona góra Fudżi (znana również jako Fuji-yama lub Fuji-san) jest jednym z najsławniejszych symboli Japonii. Imponujący wulkan (3776 m) położony około 100 km na południe od Tokio, który można w bezchmurne dni zobaczyć z centrum miasta, stanowi powtarzający się motyw japońskiej sztuki i literatury. Fudżi należy do najczęściej odwiedzanych gór na naszym globie – każdego roku do 300 000 ludzi, z których co trzeci jest cudzoziemcem, dokonuje na nią wejścia. Góra otoczona przez pięć jezior – Kawaguchi, Sai, Yamanaka, Motosue Shoji oraz bardziej odległe jezioro Ashi, jest częścia Parku Narodowego Fuji-Hakone-Izu. U jej stóp rozciąga się las Aokigahara z jaskiniami mieszczącymi nawet w szczycie lata formacje lodowe. Góra jest stratowulkanem, którego erupcja miała miejsce ostatni raz w 1707 roku, ale geolodzy nadal uważają ją za czynny wulkan o małym prawdopodobieństwie wybuchu. W ciągu ostatnich kilkuset tysięcy lat różne fazy aktywności wulkanicznej spowodowały zmianę kształtu góry. W rzeczywistości „nowa góra Fudżi" ukształtowała się około 10 000 lat temu. Wulkan uważano za święty od czasów starożytnych. Sądzi się, że pierwszego wejścia na szczyt dokonał w 633 roku nieznany mnich. Przez stulecia nie wolno było wchodzić na górę kobietom. Miejsce u podnóża góry, w którym obecnie leży miasto Gotemba, było wykorzystywane przez samurajów jako teren ćwiczeń i ta tradycja w pewien sposób jest kontynuowana przez bazy wojskowe Japońskich Sił Samoobrony i amerykańskiej piechoty morskiej, które obecnie mieszczą się w pobliżu góry Fudżi. Oficjalnie na wulkan wolno wchodzić od początku czerwca do końca sierpnia. W tym okresie, kiedy całkowicie znika pokrywa śnieżna, można wybrać jeden z czterech różnych szlaków i zatrzymać się w którymś ze schronisk i hoteli zbudowanych na zboczach wulkanu aż do wysokości 3400 m. Turyści mogą także dojechać autobusem do wysokości 2300 m i stąd podjąć wędrówkę.

Przy drodze na szczyt, uważany za święty i symboliczny przez większość japońskich szintoistów i buddystów, znajduje się wiele kapliczek i symboli religijnych. Na szczycie jest świątynia i małe jeziorko. Kilka metrów od najwyższego punktu stoi tori (święta brama). Wskutek oblodzenia, wiatrów i mrozu wejścia poza sezonem zastrzeżone są dla alpinistów, chociaż w burzliwe dni mogą być w ogóle niemożliwe. Faktem jest, że każdej zimy wydarza się na górze wiele śmiertelnych wypadków.

212–213. Imponująca granitowa kopuła Kinabalu, najwyższej góry na malezyjskiej wyspie Borneo i w całej Azji na wschód od Himalajów, wznosi się ponad lasami Sabah, zaledwie kilka mil od Morza Południowochińskiego. Lud Kadazan mieszkający na jej zboczach uważa ją za świętą.

Góra Kinabalu

MALEZJA

Ogromna, wspaniała skalista góra dominuje nad północnym wybrzeżem Sabah, położonego w północno-wschodniej części wyspy Borneo należącej do Federacji Malezyjskiej. Kinabalu jest olbrzymią granitową kopułą zakończoną poszarpanymi szczytami: najwyższym Low's Peak (4101 m) i szeregiem nieco niższych, takich jak dziwny przekrzywiony St. John's Peak (4091 m) i masyw Victoria Peak, który o świcie przybiera wspaniałą czerwoną barwę. Kinabalu, będąca świętą górą ludu Kadazan mieszkającego na jej zboczach, znajduje się obecnie pod ochroną jednego z najbardziej interesujących parków narodowych w Malezji. Na niższych wysokościach pokryta jest nieprzebytym i parnym tropikalnym lasem deszczowym, w którym rozlegają się wrzaski małp, natomiast roślinność w strefie powyżej 3050 m jest podobna do flory występującej na wielkich górach Afryki, z olbrzymimi wrzoścami, mchami i porostami. Jeszcze wyżej rośliny ustępują miejsca surowemu światu minerałów: gładkim płytom granitowym, po których przymocowane na stałe liny prowadzą turystów do małego schroniska Sayat Sayat i najwyższego szczytu masywu, do którego zazwyczaj dociera się przed świtem. Chociaż skała jest lita, to wyznaczono tylko kilka tras wspinaczkowych na Donkey Ears i wieżach na zachód od Low's Peak.

30 000 turystów (głównie Azjatów) wspinających się każdego roku sprawia, że Kinabalu – najwyższa góra Azji na wschód od Himalajów – jest jednym z najczęściej odwiedzanych szczytów świata. Las, skały i cień góry, który o świcie wydłuża się w kierunku Morza Południowochińskiego, pozostawiają niezapomniane wrażenia. Mgła i nagłe ulewy, które atakują szlak, każą nawet doświadczonym wspinaczom poruszać się ostrożnie.

Pierwszą osobą, która doświadczyła zdradliwego klimatu Kinabalu był brytyjski botanik Hugh Low, przyjaciel Jamesa Brooke'a, „białego radży, który rządził pobliskim Sarawakiem". Low dotarł w 1851 roku do wybrzeża Kota Beludu na pokładzie żaglowca *prahu* z wyspy Labuan i przedarł się przez dżunglę do podnóży góry, skąd rozpoczął niekończącą się wspinaczkę wśród skał, wrzośców i rododendronów. Na szczycie Lowa i jego przewodników ogarnęła gęsta mgła. Zostawili oni tam wiadomość w tym, co określili jako butelkę świetnej madery, wypitej za zdrowie Jej Wysokości królowej Wiktorii. Grupa powróciła z powrotem z 79 gatunkami roślin (paprocie, wrzośce i orchidee) do tej pory nieznanych botanikom.

Kinabalu

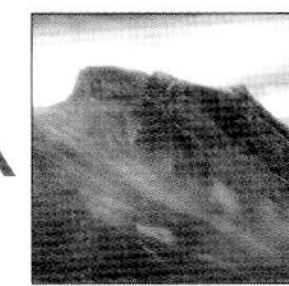

214–215. Co roku około 30 000 turystów, głównie z Azji, wspina się na szczyt Kinabalu, co sprawia, że jest to jedna z najbardziej atrakcyjnych i popularnych gór na świecie. Zwykle turyści wyruszają ze schroniska Laban Rata w środku nocy, by dotrzeć przed samym świtem do łatwych do przejścia skał szczytu.

215 z prawej. Na najwyższą górę Borneo, Kinabalu, widoczną w pogodne dni z nadbrzeżnego miasta Kota, wszedł jako pierwszy brytyjski botanik Hugh Low, przyjaciel Jamesa Brooke'a, „białego radży". Low powrócił ze szczytu z 79 gatunkami roślin (paproci, wrzosców i orchidei), nieznanych wcześniej nauce.

Oceania i Antarktyda

Najmniej gościnne pasmo świata leży w sercu Antarktydy, w połowie drogi między Półwyspem Antarktycznym a biegunem południowym. Kulminacyjnym punktem Gór Ellsworth jest Masyw Vinsona (4897 m), najwyższy punkt Białego Kontynentu, zaś w paśmie Sentinel, będącym częścią tego masywu, znajdują się dziesiątki innych szczytów wysokości przekraczającej 3960 m, pokrytych imponującymi lodowcami, a w niektórych przypadkach ze skalnymi ścianami. Wielkie trudności w dotarciu do tych gór sprawiły, że większość z nich nigdy nie została zdobyta.

Pokryty lodem obszar Antarktydy przecina wiele innych pasm górskich. Region ten odznacza się mało znaną cechą wyróżniającą: pokrywa lodowa sprawia, że Antarktyda jest kontynentem o najwyższej przeciętnej wysokości nad poziomem morza. Bliskość Mount Erebus, wulkanu wysokości 3794 m, do Morza Rossa, szelfu lodowego o tej samej nazwie oraz do największych i najstarszych baz naukowych sprawia, że jest on najbardziej znanym i najczęściej odwiedzanym szczytem. Widać go zarówno z nowozelandzkiej Bazy Scotta, jak i amerykańskiej bazy McMurdo.

Dumne miejsce w Górach Królowej Maud, znajdujących się między Morzem Rossa i biegunem południowym, zajmuje Góra Nansena, wznosząca się na wysokość 4080 m. Półwysep Antarktyczny, do którego względnie łatwo dotrzeć zarówno z Argentyny jak i Chile, stanowi najczęściej odwiedzany region kontynentu. Tutaj w 1905 roku narodził się na Antarktydzie alpinizm, kiedy włoski przewodnik alpejski Pierre Dayné i francuski alpinista J. Jabert wspięli się na Savoia Peak (1415 m).

Jednak położone daleko na południe regiony globu to nie tylko Antarktyda. Pomiędzy tym kontynentem a Oceanem Atlantyckim, trochę na północ od 60 równoleżnika południowego, a tym samym poza obszarem obowiązywania Traktatu Antarktycznego, znajduje się posiadłość brytyjska Georgia Południowa. Na archipelagu tym występują okazałe lodowce i piękne szczyty. Mount Paget (2934 m), pomimo swojej skromnej wysokości, dobrze wypada w porównaniu do wyższych i bardziej znanych gór.

Góra Cooka, najwyższy szczyt nowozelandzkich Alp Południowych, ma wysokość zaledwie 3754 m, ale jej granie i ściany, osamotnienie i elegancja pozwalają porównywać ją ze znacznie wyższymi górami Europy, Ameryki Północnej i Azji. Góry Nowej Zelandii, odkryte przez Brytyjczyków i ich alpejskich przewodników, stanowiły teren ćwiczeń dla wielu czołowych alpinistów świata.

Najwyższa góra Oceanii, Puncak Jaya, osiąga wysokość 4884 m. Dominuje ona nad lasami Irian Jaya, indonezyjskiej części Nowej Gwinei, i prawie zawsze jest spowita chmurami. Szczyty Australii mają skromną wysokość. Najwyższym z nich jest Góra Kościuszki (2228 m). Z kolei nad wspaniałymi pustyniami tego wyspiarskiego kontynentu wznoszą się iglice i ściany skalne – takie jak Mount Arapiles – znane wśród najlepszych alpinistów świata.

216. Patrząc na północ ze szczytu Masywu Vinsona (4897 m), najwyższej góry Antarktydy, widzi się Mount Tyree i Mount Shinn, drugi i trzeci pod względem wysokości szczyt pasma Sentinel i Białego Kontynentu.

217. Zdjęcie lotnicze pokazuje południową ścianę Góry Cooka, najwyższego szczytu Nowej Zelandii. Chociaż osiąga ona wysokość zaledwie 3754 m, to z powodzeniem można ją porównywać do czterotysięczników alpejskich i wielu szczytów Alaski.

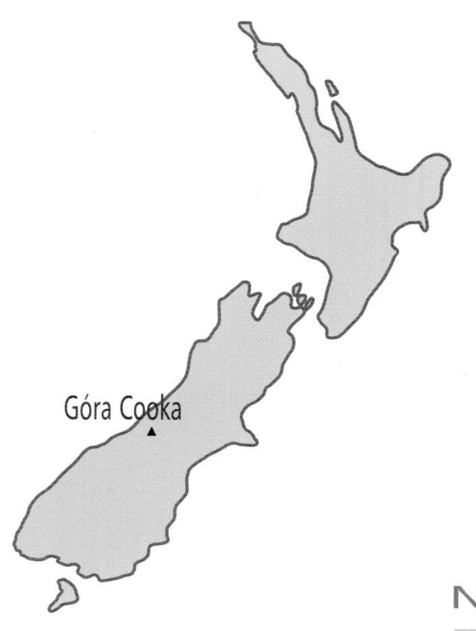

Góra Cooka

NOWA ZELANDIA

W kraju kiwi wznosi się niezwykła góra. Pomimo niewielkiej wysokości, wynoszącej 3754 m, masywny i odległy szczyt Góry Cooka – nazywany przez Maorysów Aorangi, czyli „przeszywający chmury" – jest najwyższym i najpiękniejszym szczytem Alp Południowych i całej Nowej Zelandii. Tutaj zawsze od czasów Edmunda Hillary'ego ćwiczyły pokolenia alpinistów, przygotowując się do wspinaczki w wielkich pasmach górskich świata. W 1770 roku kapitan Cook, pierwszy Europejczyk, który zobaczył Alpy Południowe (aczkolwiek od strony morza), opisał je jako wspaniałe wysokie góry z pokrytymi śniegiem szczytami i dolinami. Przyznał się, że podziwia je, pomimo że najwyraźniej nie nadają się do hodowli owiec. Dziewięćdziesiąt lat później wiktoriański pisarz Samuel Butler (który spędził kilka lat w Nowej Zelandii jako odnoszący sukcesy hodowca owiec) napisał, że nie wierzy, by kiedykolwiek jakiś człowiek mógł dotrzeć na szczyt.

Podczas gdy zdanie Cooka dotyczące owiec – których jest teraz na Wyspie Południowej więcej niż ludzi – okazało się nietrafne, to twierdzenie Butlera zostało obalone w 1874 roku, kiedy wędrujący po całym świecie przewodnik z Monte Rosa Matthias Zurbriggen (który również był pierwszym człowiekiem, który wszedł na szczyt Aconcagua) zaczął systematycznie wchodzić na najwspanialsze szczyty Alp Południowych. Zanim Zurbriggen i jego klient, Irlandczyk Edward Fitzgerald zdołali wejść na Górę Cooka, zostali wyprzedzeni przez alpinistów nowozelandzkich, J. Clarke'a, G. Grahama i T. Fyfe'a. Jednak przewodnik z Monte Rosa wkrótce to nadrobił, przecierając nowy szlak i dokonując pierwszego samotnego wejścia na Górę Cooka. W 1913 roku australijski alpinista Freda du Faur w towarzystwie przewodników P. Grahama i D. Thompsona dokonał pierwszego przejścia przez Summit Ridge, wstęgę śniegu i lodu łączącą trzy szczyty Góry Cooka. W 1949 roku na ścianę południową weszli Edmund Hillary, Harry Ayres, R. Adams i M. Sullivan, natomiast w 1962 J. MacKinnon, J.S. Milne, R.J. Stewart i P.J. Strang zdobyli ścianę Caroline, ogromną południową ścianę, którą porównywano do północnej ściany Eigeru. Wśród czołowych alpinistów można wymienić Billa Denza, który we wczesnych latach 70. XX wieku dokonał pierwszego samotnego wejścia na ścianę Caroline i wyznaczył kilka skomplikowanych nowych tras. Do nowoczesnych tras należy Dawid i Goliat, stromy i niebezpieczny szlak prowadzący po oblodzonej ścianie południowej, który zapoczątkowali w 1991 roku Paul Aubrey i P. Axford.

Nie trzeba jednak być alpinistą, by zobaczyć Górę Cooka. Do podnóży góry, gdzie wybudowano kilka hoteli, można dotrzeć samolotem. Odwiedzający mogą dolecieć jeszcze bliżej małym samolotem lub podejść, wspinając się po niekończących się morenowych zboczach.

218 u góry. To sugestywne zdjęcie wschodniej ściany Góry Cooka pokazuje grań Zurbriggena i skarpę grani Bowie.

218 u dołu. Jedne z najbardziej wymagających lodowych tras w Alpach Południowych biegną po stromej południowej ścianie Low Peak.

219. Wąski i dość odsłonięty wierzchołek Góry Cooka składa się z trzech szczytów, z których najwyższy (3754 m) położony jest najbardziej na północ.

220–221. Świt oświetla ścianę Góry Cooka i ośnieżoną piramidę Góry Tasmana (3498 m) po jej prawej stronie.

222–223. Ostra śnieżna grań tworzy wierzchołek Góry Cooka.

Masyw Vinsona

ANTARKTYDA

Najwyższa i najczęściej odwiedzana góra Antarktydy jest położona w paśmie Sentinel, 1160 km od bieguna południowego. Wysoki na 4870 m Masyw Vinsona spogląda na bezmiar antarktycznej czaszy lodowej rozciągający się na wschód. Góra jest wyższa tylko o 16 m od Mount Tyree, drugiego pod względem wysokości szczytu Białego Kontynentu. Pokrywa lodowa nie jest pozbawiona pęknięć. Skały o na przemian żółtych i szarych pasmach, które wyłaniają się spod grubej warstwy lodu, są pochodzenia metamorficznego.

Masyw Vinsona został zdobyty w 1966 roku przez dziesięciu członków amerykańskiej antarktycznej wyprawy górskiej (American Antarctic Mountaineering Expedition), ale stał się sławny w połowie lat 80. XX wieku, kiedy wielu alpinistów postawiło sobie za cel zdobycie Korony Ziemi, najwyższych szczytów poszczególnych kontynentów. Kanadyjski alpinista Patrick Morrow wchodząc w 1985 roku na Masyw Vinsona został pierwszym człowiekiem, który zdobył wszystkie siedem szczytów.

Chociaż wspinaczka na Masyw Vinsona nie należy do trudnych, to z pewnością nie jest to góra dostępna dla wszystkich. Pomimo że prywatne przedsiębiorstwo prowadzi od lat 80. XX wieku w pełni wyposażony obóz podstawowy na lodowcu Branscomb, utrzymujący łączność z bazą Patriot Hills w Chile za pomocą małego samolotu, to dla wielu koszty wyprawy są zbyt wysokie. Do tej pory około 500 osób wspięło się na Masyw Vinsona. Podczas przerw pomiędzy ekspedycjami komercyjnymi przewodnicy przetarli na ścianie zachodniej i na grani Branscomb, biegnącej ku południowemu szczytowi, szlaki stanowiące większe wyzwanie.

Droga, którą wybiera większość alpinistów, wiedzie po ogromnych i łagodnie wznoszących się zboczach, które stają się bardziej strome dopiero przy wierzchołku i grani, prowadzącej na szczyt. Wielu wspinaczy przez większość drogi korzysta z nart.

Zobycie Masywu Vinsona najbardziej utrudniają warunki klimatyczne. Prędkość nieustannie wiejącego wiatru potrafi gwałtownie wzrosnąć do 145 km/h, zmuszając alpinistów do szukania schronienia pod namiotami, igloo czy w dziurach wykopanych w lodzie.

Chociaż w lecie promieniowanie słoneczne jest niezwykle silne, to temperatura może spaść od –26 °C do –40 °C w ciągu kilku minut, wyczerpując poważnie energię alpinistów. Ponadto tumany śniegu, jakie podrywa wiatr, bardzo utrudniają orientację. Poszukiwanie przygód na Antarktydzie jest nadal walką o przetrwanie, tak jak za czasów Shackeltona, Amundsena i Scotta.

224–225. Z samolotu lecącego w stronę Masywu Vinsona, przed lądowaniem na lodowcu Branscomb rozciąga się wspaniały widok okolicznych szczytów (to zdjęcie zrobiono w kierunku bieguna południowego), najbardziej efektownych na Antarktydzie, wznoszących się w odległości ponad 960 km od bieguna południowego.

225 u dołu. Ogrom lodowego antarktycznego płaskowyżu można w pełni ocenić, oglądając pojedyncze szczyty i całe pasma górskie z pokładu małego samolotu zapewniającego połączenie bazy Patriot Hills z podstawowym obozem Masywu Vinsona.

226 u góry. Grupa alpinistów, schodząc z Masywu Vinsona (4897 m), przecina śnieżny płaskowyż. Pierwszego wejścia na górę dokonali w 1966 roku członkowie amerykańskiej antarktycznej wyprawy górskiej.

226 u dołu. Porywiste wichry wiejące od strony bieguna południowego powodują osiadanie zlodowaciałej skorupy na wszystkich odsłoniętych skałach, sprawiając, że szczytowe pasmo Masywu Vinsona jest jednolicie białe.

226–227. Przy schodzeniu z Masywu Vinsona alpiniści napotykają na przemian odcinki dość strome i ogromne lodowe płaskowyże, na których wieją gwałtowne wiatry. Sceneria przywodzi na myśl wyprawy Shackeltona, Amundsena, Scotta i innych badaczy Antarktydy.

Ameryka Północna

Chociaż większość kontynentu północnoamerykańskiego jest płaska, to od Alaski po Jukatan miłośnicy natury i entuzjaści wspinaczek mogą podziwiać szczyty i krajobrazy o wielkiej różnorodności i przeżywać wiele przygód. Lodowce gór McKinley i Logan, wielkie ściany Yosemite i piaskowcowe wieże na pustyniach Utah, pióropusze dymu i lodowce niebezpiecznych wulkanów, wznoszących się w stanach Oregon i Washington oraz w centralnej dolinie Meksyku stawiają wiele wyzwań. Podobne skały, lasy i wulkany występują dalej na południe w Ameryce Środkowej. Kaniony i gorące góry meksykańskiego stanu Chiaspas, Gwatemali i Kostaryki mogą dostarczyć poszukiwaczom przygód wielu emocji.

Góry Skaliste są podstawą północnoamerykańskiego systemu pasm górskich, ciągnąc się ze swoimi tysiącami szczytów i setkami lodowców przez 4825 km od Alaski do Kalifornii i odgradzając Daleki Zachód kontynentu od Wielkich Równin Kanady i Stanów Zjednoczonych. Najwyższe szczyty znajdują się na północy, w pasmach Alaski i Jukonu, gdzie klimat Mount McKinley i innych najwyższych szczytów podobny jest do klimatu Himalajów.

Inne wspaniałe góry, bardziej dostępne dla turystów, wznoszą się na granicy między Stanami Zjednoczonymi i Kanadą i ciągną się w kierunku południowym do Colorado. Na zachód od tych gór leżą pasma górskie Kolumbii Brytyjskiej (w tym wspaniałe granitowe szczyty Bugaboos) i kalifornijskie Sierra, słynne ze swoich granitowych ścian i lasów sekwojowych.

W pasmach leżących bliżej brzegów Atlantyku (Adirondacks w stanie Nowy Jork i Great Smoky Mountains na granicy między Północną Karoliną i Tennessee) można podziwiać dzikie widoki, zaskakujące dla tych, którzy na podstawie położenia tych gór na mapie uważają, że są zbyt bliskie wielkim aglomeracjom Wschodniego Wybrzeża.

W ostatnich dziesięcioleciach doświadczonych alpinistów przyciągają granitowe ściany Wyspy Baffina oraz skalne i lodowe szczyty Grenlandii. Jednak góry Ameryki Północnej są dostępne nie tylko dla wąskiej elity. Od północy do południa i od wchodu do zachodu niezrównana sieć obszarów chronionych obejmuje szczyty i pasma górskie.

Od Popo-Ixta do Denali miłośnicy trekkingu, alpiniści, narciarze czy ci, którzy po prostu chcą odpocząć w zachwycającym otoczeniu, mogą wybierać pomiędzy Kluane, Jasper, Banff, North Cascades, Yosemite, Rocky Mountains i setkami innych parków. Idąc szlakami biegnącymi wśród sosen ościstych i sekwoi, można zobaczyć łosie, niedźwiedzie grizzly, pumy, bizony i wiele niezwykłych gatunków zwierząt. W końcu nazwa „Ameryka" jest synonimem przyrody.

228 z lewej. Leżący w sercu Alaski Mount McKinley osiąga wysokość 6194 m.

228 pośrodku. Najwyższy szczyt granitowego pasma Tetons ma wysokość 4196 m.

228 z prawej. Utworzone z lawy zbocza Popocatépetl stanowią tło dla kościołów Puebla.

229. Promienie słońca na północno-zachodniej ścianie Half Dome w Dolinie Yosemite.

230–321. Piramida Mount McKinley, nazywana przez Indian Athabasca Denali („Wysoka") tworzy tło potężnego lodowca Ruth. Obecnie Denali jest nazwą wspaniałego, chroniącego masyw parku narodowego, obejmującego obszar 24 113 km^2.

231. Alpiniści próbujący wejść na Mount McKinley docierają do lodowca Kahiltna i obozu podstawowego na pokładzie małych samolotów latających wahadłowo z Talkeetna, miasta położonego najbliżej góry. Loty tych samolotów natężają się w maju i czerwcu, miesiącach najbardziej sprzyjających wspinaczkom.

Mount McKinley

STANY ZJEDNOCZONE

Najwyższa góra Ameryki Północnej wznosi się w Alasce, na terenie jednego z najpiękniejszych parków narodowych świata. W letnie dni bez trudu można zauważyć orły, kozy górskie, łosie i karibu, a może nawet samicę niedźwiedzia grizzly, biegnącą kłusem po trawie ze swoimi dziećmi u stóp lodowych ścian Mount McKinley (6194 m), nazywanej przez Indian Athabasca Denali („Wysoka").

Park Narodowy ustanowiony w 1917 roku jako McKinley został przemianowany w 1980 roku na Park Narodowy i Rezerwat Denali. Obejmuje on obszar 24 113 km^2 i od dawna jest najbardziej znaną atrakcją przyrodniczą Alaski. Każdego roku w lecie setki odwiedzających ustawiają się w kolejce do autobusów przy wejściu do obszaru chronionego przy Wonder Lake.

O wcześniejszej porze roku, w maju i czerwcu, kilkuset alpinistów korzysta z małych samolotów kursujących między Talkeetna i płaskim lodowcem Kahiltna u stóp południowego zbocza szczytu, by rozpocząć wspinaczkę trasą wzdłuż zachodniej bocznej grani góry. Duża wysokość, bardzo niskie temperatury dochodzące do – 40 °C i często wiejące gwałtowne wichry sprawiają, że tylko nielicznym udaje się dotrzeć do szczytu.

„Oficjalna" historia Mount McKinley, który był już dobrze wcześniej znany Indianom Athabasca, rozpoczęła się w 1794 roku, kiedy brytyjski żeglarz George Vancouver spostrzegł wspaniałą, pokrytą śniegiem górę. Jednak alpinizm na dalekiej północy Ameryki zrodził się w 1897 roku wraz z ekspedycją księcia Abruzzów na Mount Saint Elias, górę, która spośród wielkich gór na granicy Kanady i Alaski leży najbliżej wybrzeża. Pięć lat później podczas pomiarów geologicznych Stanów Zjednoczonych potwierdzono, że najwyższym ze wszystkich szczytów jest Mount McKinley.

Pierwsi alpiniści dotarli do góry w 1903 roku, ale historia pierwszego wejścia ma w sobie coś z tajemnicy. W 1906 roku Frederick Cook, któremu towarzyszyli Ed Barrill, Hershel Parker i Belmore Brown twierdzili, że weszli na wierzchołek, ale zdradziło ich zdjęcie „szczytu" zrobione ze szczytu niższego o 200 m.

Następnie, w atmosferze ogólnego sceptycyzmu, poszukiwacze zdrowia Pete Anderson, Charley McGonagall i Billy Taylor

Mount McKinley

stwierdzili, że zdobyli górę. Oficjalnie uznaje się, że szczyt zdobyli w 1912 roku Hudson Stuck, Robert Tatum, Harry Karstens i Walter Harper. Jednak ta czwórka znalazła na północnym szczycie drzewce flagi pozostawione przez poszukiwaczy złota.

Oddalenie Mount McKinley od cywilizowanego świata sprawiało, że dotarcie do niego wymagało miesięcznej podróży i góra była rzadko odwiedzana aż do lat 50. XX wieku, kiedy pojawiła się możliwość dotarcia do niej samolotem. W 1951 roku grupa pod kierunkiem Bradforda Washburna weszła na West Buttress (Zachodnia Skarpa) drogą, która obecnie stanowi klasyczny szlak. Trzy lata później ekipa z Uniwersytetu Alaski dokonała pierwszego przejścia. W 1961 roku ekspedycja grupy alpejskiej Ragni di Lecco, kierowanej przez Riccardo Cassina, zdobyła najwyższą skarpę ściany południowej, uważaną za największy alpinistyczny „problem" w Ameryce Północnej. W 1967 roku wyprawa międzynarodowa dokonała pierwszego wejścia zimowego, podczas którego francuski alpinista Jacques Batkin wpadł w rozpadlinę i zginął.

W ciągu ostatnich kilku dziesięcioleci na wielkich ścianach góry dokonano otwarcia innych bardzo trudnych dróg. Nowe drogi na południowej ścianie zostały wyznaczone przez Brytyjczyków Dougala Hastona i Douga Scotta (1976) i samotnie przez czeskiego alpinistę Miroslava Smida (1991). Jednak największego wyczynu dokonał Włoch, alpinista z Vicenzy Renato Casarotto, który zdobył w 1977 roku północną grań Mount McKinley i nazwał ją „granią bez powrotu".

Tymczasem pierwsza wyznaczona trasa zyskiwała coraz większą popularność. Setki alpinistów próbujących wchodzić każdej wiosny na szczyt powodują poważne problemy dla środowiska. Ponadto, pomimo monitorowania przez władze parku, obecność grup nie posiadających odpowiedniego doświadczenia przyczynia się do coraz większej liczby wypadków. Prawdą jest, że West Butress nie przedstawia szczególnych trudności technicznych. Nie istnieje jednak nic takiego, jak łatwa wspinaczka, jeśli uwzględni się wysokość Mount McKinley i szerokość geograficzną jego położenia.

232. Mount McKinley, najwyższy szczyt w Ameryce Północnej, jest jednym z siedmiu szczytów najwyższych gór poszczególnych kontynentów składających się na Koronę Ziemi.

233. Wejście na Mount McKinley jest bardzo wyczerpujące wskutek wyjątkowo surowych warunków atmosferycznych. W najzimniejszej porze roku temperatura waha się między –36 °C a –56 °C.

234–235. Ostatnie promienie słońca padają na szczyty otaczające Mount McKinley (6194 m), najwyższy punkt Ameryki Północnej. Zdjęcie zostało wykonane z biwaku na południowej ścianie góry, na szlaku wyznaczonym w 1961 roku przez Ricardo Cassina i grupę Ragni di Lecco.

Mount Asgard

KANADA

Strome granitowe ściany wznoszą się nad fiordami Półwyspu Cumberland na Wyspie Baffina, w dzikiej północno-wschodniej części Kanady. Wspaniałe i odległe ściany Mount Thor, Mount Asgard, Mount Overlord i pobliskich szczytów, wygładzone przez lodowce ocierające się o nie od tysięcy lat, zostały odkryte w pierwszych dziesięcioleciach XX wieku, ale pierwsze próby zdobycia ich podjęto dopiero po drugiej wojnie światowej. Obecnie przyciągają tysiące alpinistów z całego świata, którzy docierają do nich po długiej podróży statkiem i następnie pieszo z Pangnirtung.

Mount Asgard jest najlepiej znanym szczytem Wyspy Baffina. Pomimo swojej skromnej wysokości – północny, najwyższy wierzchołek osiąga 2011 m, natomiast południowy jest kilka metrów niższy – ten rozdwojony szczyt od dawna stanowi miejsce ćwiczeń alpinistów z całego świata. Szczyt Północny Mount Asgard został po raz pierwszy zdobyty w 1953 roku przez geologów szwajcarskich, Hansa Webera, J. Marmet-Rothlisbergera i F. Schwarzenbacha, natomiast Szczyt Południowy zdobyto dopiero w 1971 roku – kanadyjscy alpiniści G. Lee, R. Wood i P. Koch po osiągnięciu szczytu byli zmuszeni do dramatycznego zejścia podczas burzy śniegowej.

W następnym roku czterech alpinistów o światowej sławie – Brytyjczycy Dougg Scott, Paul Nunn i Paul Braithwaite oraz Amerykanin Dennis Hennek wspięli się na wschodnią boczną grań Szczytu Północnego (1200 m), po dojściu pieszo do podstawy Mount Asgard. Trzy lata później Amerykanin Charlie Porter, alpinista, który dokonał wielu wejść na ściany Doliny Yosemite, samotnie otworzył na północnej ścianie Szczytu Północnego trasę długości 40 lin. Mount Asgard stała się dzięki tym dwóm wejściom sławna wśród alpinistów całego świata.

Po około dziesięcioletniej przerwie alpiniści w latach 90. XX wieku rozpoczęli systematyczne zdobywanie ścian Mount Asgard, kiedy ekipy kanadyjskie, amerykańskie, hiszpańskie, brytyjskie i włoskie przetarły dziesiątki skomplikowanych tras o trudności porównywalnej do wielkich ścian kalifornijskich, ale znajdujących się w jednej z najdzikszych i najbardziej odosobnionych okolic w obu Amerykach.

Rzeczywiście, odosobnienie szczytów i konieczność przetransportowania ciężkich ładunków sprawia, że każde wejście – pomimo umiarkowanej wysokości i tego, że ściany często znajdują się w słońcu – stanowi wielkie wyzwanie. Wskutek zakazu zbliżania się helikopterów do gór w Parku Narodowym Auyuittuq, alpiniści muszą przejść pieszo prawie 50 km do Summit Lake i obozów podstawowych, dźwigając na plecach żywność i sprzęt. Brak jakiejkolwiek przetartej ścieżki i konieczność pokonania wielu brodów sprawiają, że jest to podróż żmudna i często niebezpieczna.

236. Budzące grozę ściany Mount Asgard.

237. Poranne słońce oświetla ściany Szczytu Południowego (na pierwszym planie) i Północnego Mount Asgard.

238–239. Charakterystyczna rozdwojona sylwetka Mount Asgard o stromych granitowych ścianach dominuje nad lodowcami Parku Narodowego Auyuittuq na kanadyjskiej Wyspie Baffina.

Mount Logan

KANADA

W ogromnym i dzikim paśmie gór św. Eliasza, smaganego sztormami znad Pacyfiku, znajdują się największe lodowce Ameryki Północnej. Lodowiec Seward, jeden z najdłuższych i bardzo kręty, spływa z południowego zbocza Mount Logan na Jukonie. Ten szczyt wysokości 5959 m jest najwyższym punktem w całej Kanadzie. Jest to olbrzymia, odosobniona i daleka góra.

Najbliższe miasto leży ponad 240 km od jej podnóży, z czego połowę trzeba przebyć po lodowcu. Masyw Mount Logan wznosi się w Parku Narodowym Kluane, obejmującym 2200 km^2 i zamieszkałym przez niedźwiedzie grizzly, łosie, kozy górskie i rzadkie górskie owce kanadyjskie.

O ile Mount McKinley przyciąga miłośników przyrody i alpinistów z całego świata, o tyle Mount Logan pozostaje samotną górą, odwiedzaną co roku zaledwie przez kilkadziesiąt grup. By dotrzeć do jej podnóży, trzeba odbyć stukilometrowy lot nad lodowcami z Haines Junction (małe osiedle zamieszkałe przez strażników parku). Pierwsze wejście na Mount Logan odegrało ważną rolę w rozwoju alpinizmu kanadyjskiego.

Ekspedycja zorganizowana i kierowana przez Alberta MacCarthy'ego, znanego ze swojej niezwykłej energii, wyruszyła w środku zimy, kiedy łatwiej jest poruszać się po ośnieżonych lodowcach za pomocą sań. MacCarthy i jego pięciu towarzyszy przez dwa miesiące przewozili pod górę żywność, paliwo i sprzęt, posługując się trzema saniami z psim zaprzęgiem i dwoma ciągniętymi przez konie. Wiosną alpiniści pracowali kolejny miesiąc, by dotrzeć do King Col, gdzie zaczyna się najbardziej techniczna część wspinaczki.

Chociaż trudności, na jakie później napotkali, nigdy nie były nie do pokonania, to odległość, wysokość i zła pogoda wyeksploatowały siły alpinistów do granic wytrzymałości. Wreszcie 23 czerwca 1925 roku sześciu mężczyzn przeszło przez szczytowy płaskowyż i weszło na szczyt. Brytyjski „Alpine Journal" po ich powrocie doniósł, że nigdy wcześniej żadna wyprawa górska nie poniosła tak wielkiego trudu.

Możliwość stosowania małych samolotów zdolnych do lądowania na lodowcu Seward, jaka pojawiła się po drugiej wojnie światowej, sprawiła, że Mount Logan stał się nieco mniej odległy. Jednak żaden wynalazek techniczny nie jest w stanie zmniejszyć rozmiarów i wysokości góry, ani złagodzić wściekłości atakujących ją sztormów znad Pacyfiku. Wszystkie wielkie dokonania, jakich świadkiem była góra, od pierwszego wejścia na grań Hummingbird przez kalifornijską ekspedycję (1965) i cztery trasy przeprowadzone przez olbrzymią ścianę południową w latach 1959–1977 do pierwszego wejścia w 1956 roku, można porównać do najtrudniejszych wejść himalajskich.

240 u góry i 241. Lodowe ściany i grzebienie nadają Mount Logan i innym szczytom pasma gór św. Eliasza dziki i efektowny wygląd.

240 u dołu. Północna ściana Mount Logan jest jedną z najodleglejszych i najrzadziej odwiedzanych gór.

Mount Logan

242–243. Ostatnie promienie zachodzącego słońca oświetlają wierzchołki i szczytowy płaskowyż Mount Logan (5959 m), najwyższej góry Kanady, znajdującej się w dzikim i malowniczym Parku Narodowym Kluane. W okolice góry można dotrzeć dzięki dwóm małym samolotom lądującym na lodowcu Seward.

Mount Robson

KANADA

Najwyższa i najbardziej imponująca skała Gór Skalistych wznosi się nad jedną z najzieleńszych i najpiękniejszych dolin Brytyjskiej Kolumbii. Jej dolna część zbudowana jest z kruchej skały ukształtowanej w wyniku erozji, szczyt zaś pokryty jest wspaniałą czapą lodową z rozpadlinami i olbrzymimi niebezpiecznie wiszącymi gzymsami. Góra, wznosząca się na wysokość 3954 m, użyczyła nazwy Prowincjonalnemu Parkowi Mount Robson, który od wschodu dotyka do granicy Narodowego Parku Jaspers w Albercie, z jego wieloma szczytami, lasami i lodowcami. Niedaleko na południe w Parkach Narodowych Banff i Yoho i Parku Prowincjonalnym Mount Assiniboine znajdują się kolejne imponujące szczyty, cieszące się sławą od początków alpinizmu w Górach Skalistych.

Chociaż Mount Robson można zauważyć z drogi biegnącej dnem doliny, to jest to bardzo odległa góra. Turyści pragnący wspiąć się ku Lake Berg, do którego wpada najpiękniejszy lodowiec masywu, muszą wędrować osiem godzin niekończącym się szlakiem, z którego widać Kinney Lake i wiele wspaniałych wodospadów. Na tym i na innych szlakach biegnących przez park można spotkać jelenie, kozy górskie, łosie, niedźwiedzie czarne i grizzly. Podobnie jak w przypadku innych szczytów kanadyjskich, próbę zdobycia Mount Robson podjęto dopiero w 1886 w roku, w którym ukończono połączenie kolejowe Wielkich Równin z Vancouver i pierwszy pociąg przekroczył Góry Skaliste. Kanadyjskie Koleje Pacyfiku (Canadian Pacific Railway) jako cel postawiły sobie, obok transportu towarów, również rozwój turystyki. By to osiągnąć, wybudowały hotele i zaprosiły do Kanady sławnych alpinistów, takich jak Edward Whymper i Norman Collie oraz najlepszych przewodników alpejskich ze Szwajcarii i Austrii. Jednak to Kanadyjczyk, wielebny George Kinney, był pierwszym człowiekiem, który podjął poważną próbę wejścia na Mount Robson i twierdził, że dotarł do szczytu w 1909 roku. Po tym, jak Kinney przyznał się, że jego twierdzenie o zdobyciu szczytu było kłamstwem, Kanadyjczycy Albert MacCarthy i William Foster (którzy później zdobyli Mount Logan) dotarli do szczytu razem z austriackim przewodnikiem Conradem Kainem, pokonując ogromne i niebezpieczne seraki i oblodzone zbocza, w których Kain musiał wyciąć 600 schodów. Wskutek kruchości skał prawie wszystkie ważne trasy otwarte w następnych dziesięcioleciach na Mount Robson przebiegają po lodzie, rozpoczynając od niekończącej się grani Emperor i prawie pionowej ściany Emperor. Droga przez grań południowo--zachodnią jest jeszcze dłuższa – składa się w dużej części z odcinków biegnących po skale i wymaga w celu dotarcia na szczyt pokonania różnicy wysokości wynoszącej prawie 3050 m.

244. Wśród rozpadlin i seraków lodowca Berg u stóp północnej ściany Mount Robson wznosi się wieża zbudowana ze skał i lodu znana jako Helmet. Część najbardziej klasycznych tras wspinaczkowych rozpoczyna się od przełęczy Helmet Col.

244–245. Bliźniacze lodowce Berg i Mist spływają ze szczytu Mount Robson (3954 m) do jeziora Lake Berg położonego na wysokości 1653 m. Z prawej strony widać grań Emperor, a z lewej ścianę Emperor.

245 u dołu. Krucha, z wyraźnymi śladami erozji, zachodnia ściana Mount Robson jest zakończona wspaniałą czapą lodową. Widać ją z autostrady Yellowhead Highway łączącej Jasper z Valemount.

246–247. Bliższe spojrzenie, również od strony jeziora Berg, pokazuje ośnieżone gzymsy i skalne wieże grani Emperor i poprzecinaną pasmami lodu skałę Emperor.

248–249. W miejscu dawnego wierzchołka Mount St. Helens powstał ogromny krater, powodując obniżenie wysokości wulkanu o około 400 m.

248 u dołu i 249. Wspaniała góra Mount Rainier, wznosząca się na wysokość 4392 m ponad Seattle i Puget Sound, jest wulkanem. Z położonego w sercu pięknego parku narodowego szczytu spływa 27 lodowców. Co roku na górę wspinają się tysiące alpinistów.

250–251. Podkowiasty krater Mount St. Helens ma głębokość ok. 700 m. Szacuje się, że katastrofalna erupcja wulkanu spowodowała usunięcie około 2830 m^3 skały.

252–253. Poranna mgła snuje się wokół stożka Mount St. Helens leżącego na 48° północnej szerokości geograficznej w chłodnym, północno--zachodnim krańcu Stanów Zjednoczonych. Wulkan zachowuje aktywność od około 40 000 lat.

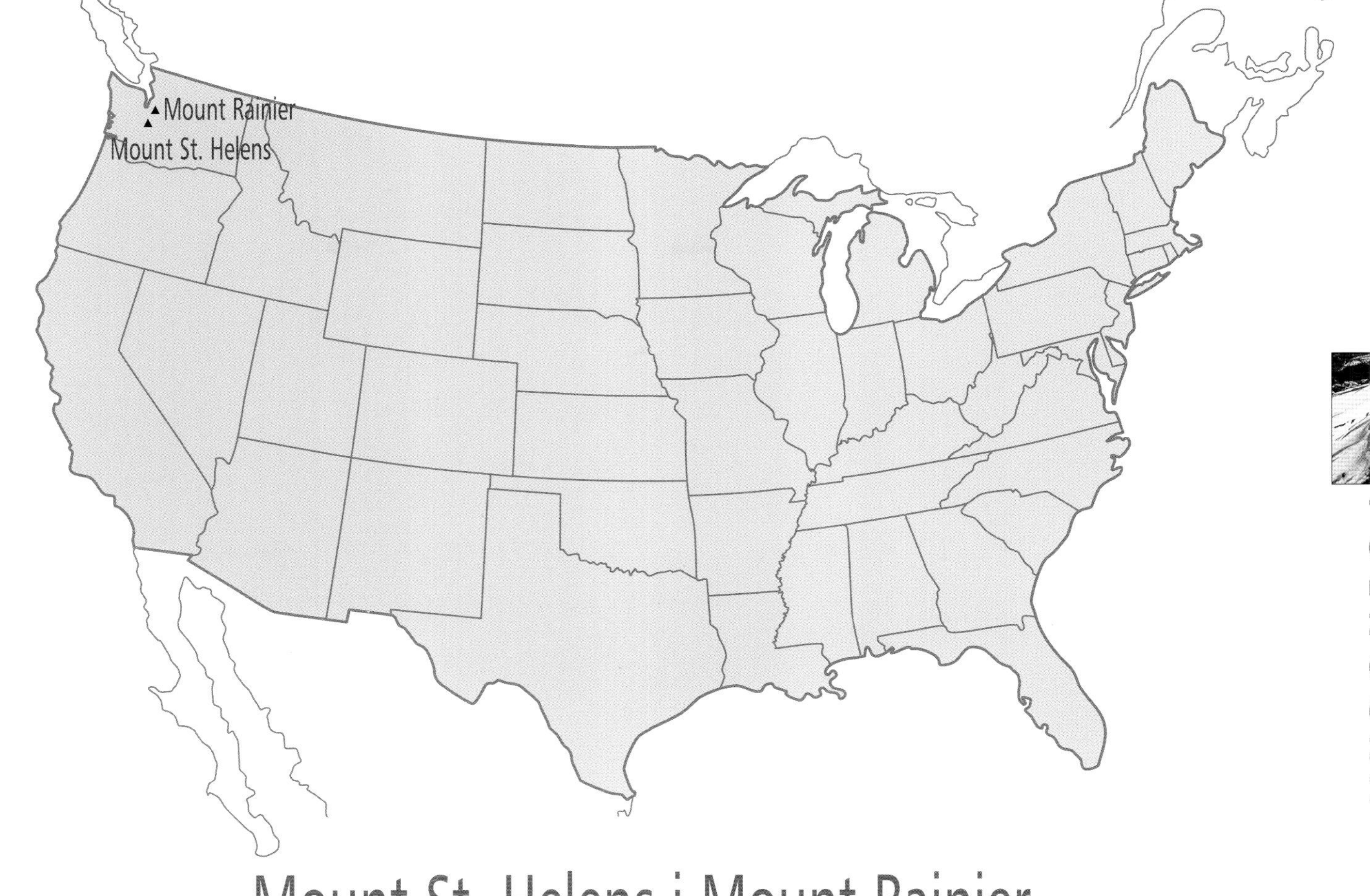

Mount St. Helens i Mount Rainier

STANY ZJEDNOCZONE

18 maja 1980 roku jedna z najbardziej przerażających erupcji, jakie kiedykolwiek widział człowiek, zmieniła oblicze Mount St. Helens w amerykańskim stanie Waszyngton. Wybuch wyzwoliło gwałtowne trzęsienie ziemi zarejestrowane przez sejsmologów o godzinie 20:32. Piętnaście sekund później północna ściana góry zapadła się, dając ujście nagromadzonemu wewnątrz ciśnieniu.

W wyniku eksplozji o mocy 500 razy większej od bomby atomowej zrzuconej na Hiroszimę wzbił się w powietrze ogromny pióropusz z gazów, pary i pyłu. Płonąca chmura gazowa przemieszczała się na północ z prędkością 300 m/h, powodując pożar wielu akrów lasów. W ciągu zaledwie jednego dnia wysokość wierzchołka góry zmniejszyła się z 2950 m do 2549 m, a sam szczyt przyjął kształt krateru o głębokości 700 m i średnicy około 3200 m. Chociaż w pobliżu wulkanu nie ma większych miast, to erupcja zniszczyła 300 domów i spowodowała śmierć 61 ludzi. Od tego czasu wulkanolodzy dokonują dokładnych badań dynamiki chmury płonącego gazu. Erupcja miała charakter piroklastyczny, podobnie jak wybuch, który zniszczył Pompeje w 79 roku. W przyszłości można oczekiwać wybuchu Wezuwiusza i innych wulkanów znajdujących się w pobliżu obszarów zamieszkałych.

Od dawna znana była wulkaniczna natura Mount St. Helens i innych wielkich gór, takich jak Mount Rainier, Lassen Peak i Mount Hood. Także Indianie nazywali Mount St. Helens *Loo-wit*, co oznacza „strażnik ognia". Wulkanolodzy szacują, że w okresie ostatnich 4500 lat góra przeżyła 20 okresów aktywności, a w 1900 roku nastąpił wybuch równie gwałtowny jak w 1980. W latach 1914–1917 odnotowano 392 erupcje Lassen Peak.

Erupcje to tylko jeden aspekt „ognistych gór" Zachodu. Ich pokryte przez prawie cały rok śniegiem szczyty odkrył pod koniec XVIII wieku brytyjski badacz, kapitan George Vancouver. Teraz stanowią one tło codziennego życia mieszkańców północnego zachodu Stanów Zjednoczonych, a ich zbocza od 150 lat przyciągają uwagę alpinistów.

Historia podboju tych szczytów ma swój początek w latach 1853–1854, kiedy Thomas Dryer, wydawca „Weekly Oregonian" ogłosił, że dokonał pierwszego wejścia na Mount St. Helens i Mount Hood. Po nim w 1870 roku Hazard Stevens i Philemon Van Trump dokonali pierwszego wejścia na Mount Rainier, wulkan wysokości 4392 m, z którego rozlega się widok na cieśninę Puget Sound i Seattle, i który obecnie jest objęty ochroną wspaniałego parku narodowego. W ciągu 150 lat, jakie minęły od czasów pierwszych odkrywców, na Mount Hood i Mount Rainier przetarto dziesiątki szlaków, po których co roku wspinają się setki (jeśli nie tysiące) ludzi. Mount St. Helens trzeba jednak obserwować z daleka.

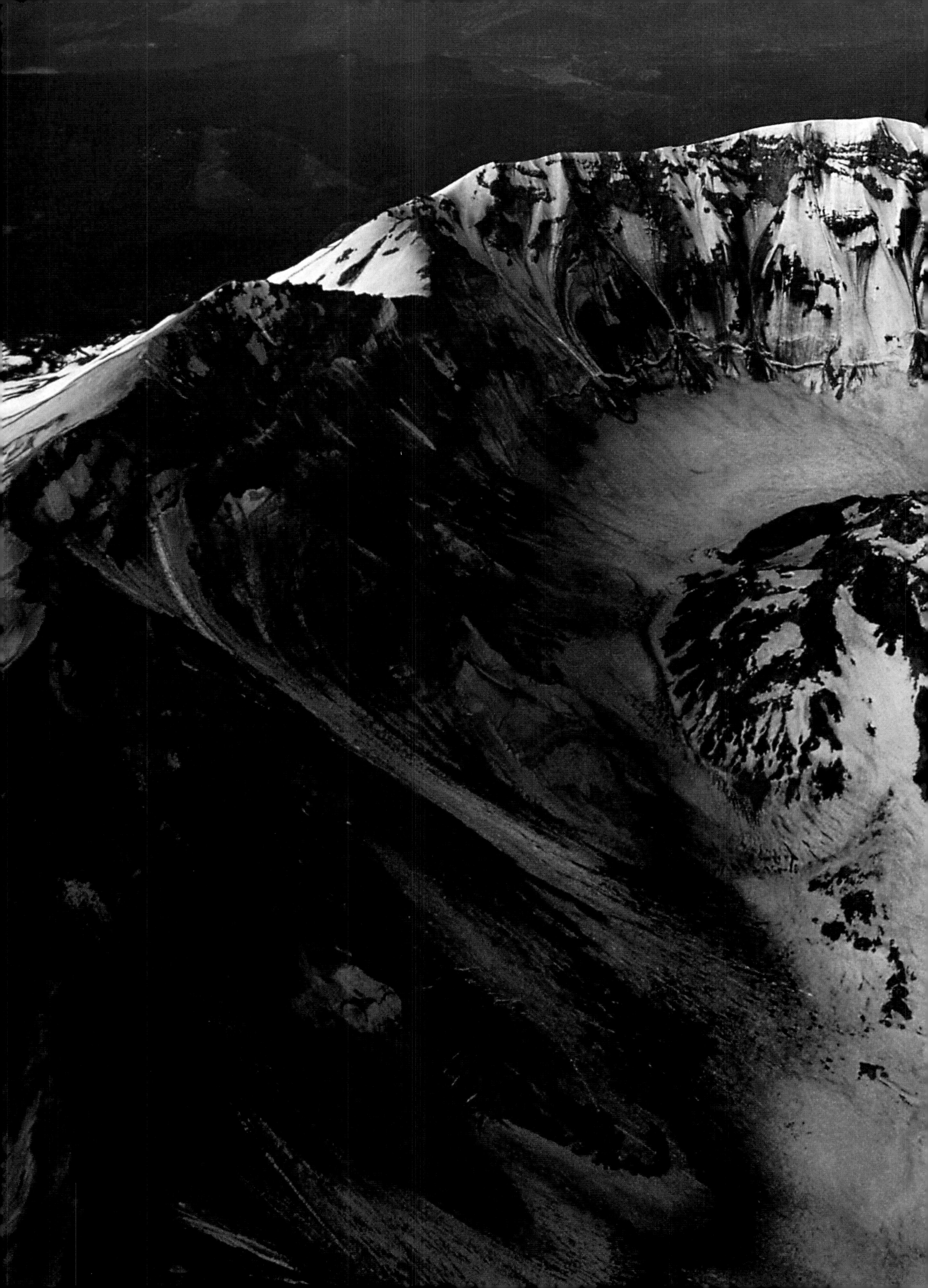

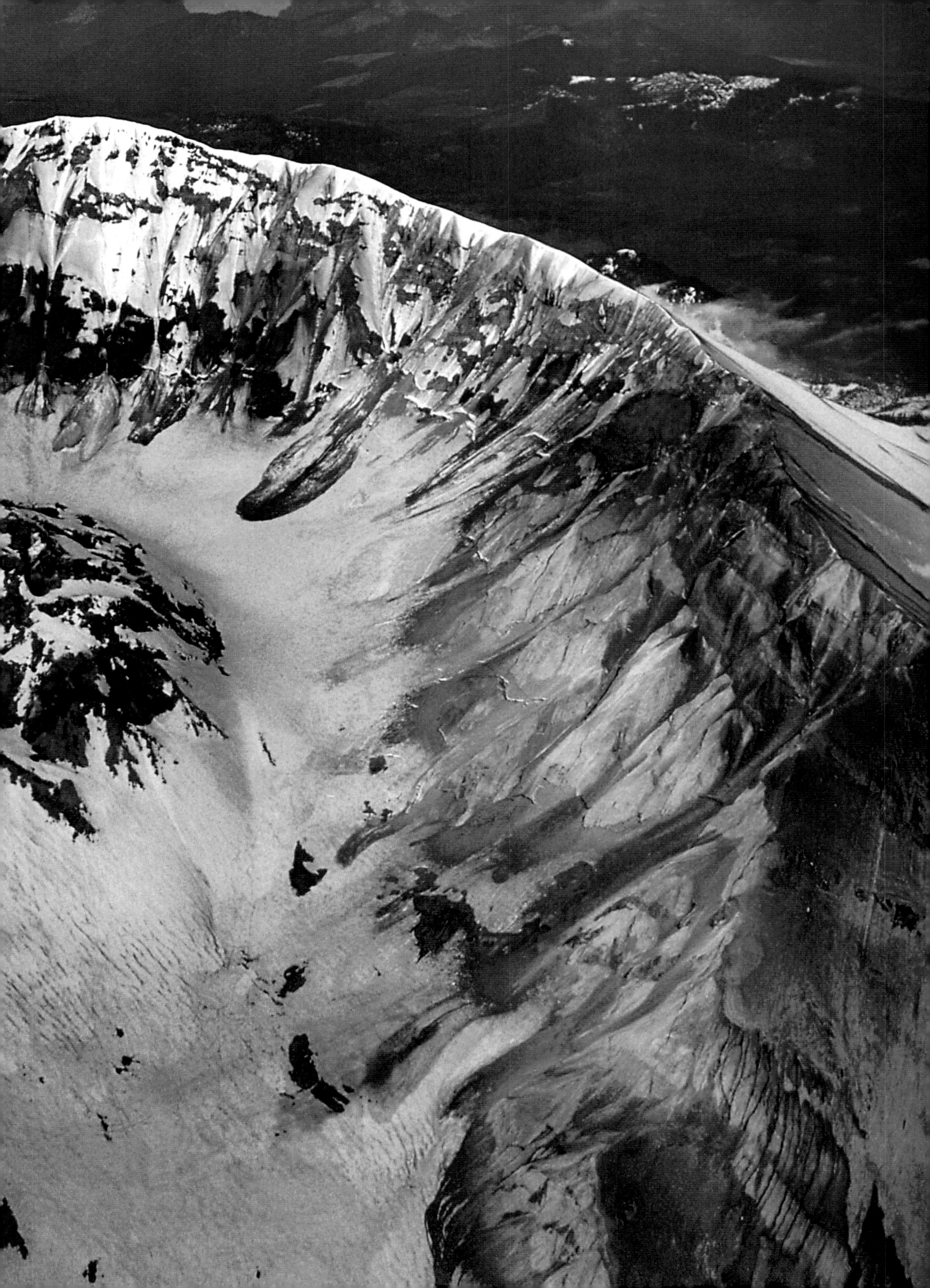

254–255. Grań zbudowana ze skał, śniegu i luźnego materiału skalnego łączy Middle Teton (na zdjęciu na pierwszym planie) z ostrym, skalistym trójkątem Grand Teton – najwyższej i najbardziej efektownej góry w całym paśmie. Zdjęcie zostało zrobione na wiosnę, gdy liczni turyści i alpiniści szykują się, by powrócić do masywu.

254 u dołu. Grand Teton o wysokości 4196 m jest najwyższym i najczęściej odwiedzanym przez alpinistów szczytem pasma.

255. Park Narodowy Grand Teton, obejmujący swoją ochroną góry, jeziora i łąki Jackson Hole, należy do najbardziej malowniczych w Górach Skalistych i całych Stanach Zjednoczonych.

256–257. W zimie pastwiska i lasy Jackson Hole przykrywa gruba warstwa śniegu, a pokryte lodem szczyty pasma Teton wydają się być znacznie bardziej samotne i oddalone niż w lecie. Zdjęcie pokazuje budzący grozę Grand Teton w otoczeniu Middle Teton (z lewej) i Mount Owen.

Grand Teton

STANY ZJEDNOCZONE

Jeden z krajobrazów o najsilniejszym alpejskim charakterze wita odwiedzających dolinę Jackson Hole w Wyoming, bezpośrednio na południe od lasów i gorących źródeł Yellowstone. Pasmo jezior otoczonych gęstymi lasami iglastymi oddziela pastwiska Jackson Hole od granitowych szczytów pasma Teton (nazwę nadał pasmu pewien francuski traper, oznacza ona „wielkie łby"), obejmującego okazałe szczyty Mount Owen, Middle Teton i Teewinot. Jednak zdecydowanie najbardziej efektownym szczytem pasma jest Grand Teton, spoglądający na wszystkie okoliczne szczyty z wysokości 4196 m. Chociaż Yellowstone jest najsłynniejszym parkiem narodowym na świecie, to amerykańscy miłośnicy przyrody uważają Park Narodowy Grand Teton za jeden z najbardziej malowniczych w Górach Skalistych i całych Stanach Zjednoczonych. Pełen jezior, wodospadów, lasów i dolin wyżłobionych dawno temu przez lodowce gości u siebie niedźwiedzie czarne i grizzly, łosie i ptaki drapieżne, których różnorodność gatunkowa jest zadziwiająca. U podnóży gór często można zobaczyć olbrzymie stada jeleni.

Wokół zdobycia Grand Teton istnieje wiele sporów. W 1872 roku geometrzy James Stevenson i Nathaniel Langford ogłosili, że weszli na szczyt. Jednak w 1898 roku na szczyt dotarł William Owen, który na podstawie niedokładnych opisów alpinistów i braku kopczyków z kamieni (które zwyczajowo układano nawet na dużo niższych szczytach) zakwestionował wejście dokonane rzekomo 26 lat wcześniej. Zaskakujące jest, że na Grand Teton nie wspinano się w ciągu ćwierćwiecza, które nastąpiło po wyczynie Owena. W latach 20. XX wieku, kiedy zdobyła popularność klasyczna trasa, młode pokolenie alpinistów zaczęło wyznaczać nowe trasy przez granie i ściany gór. Wiele zawdzięczamy Robertowi Underhollowi, który w 1929 roku wszedł (razem z K. Hendersonem) po długiej wschodniej grani, a następnie w 1931 roku po graniach południowej i północnej. Wiele tras przetarto na Grand Teton w latach 30. minionego wieku – wśród alpinistów, którzy tego dokonali, znajdują się takie sławy jak Paul Pextoldt, Willy Unsoeld i Jack Durrance, którzy byli członkami wielkich amerykańskich wypraw na K2 i Mount Everest bezpośrednio przed drugą wojną światową i zaraz po niej.

Obecnie, przy ładnej pogodzie, grupy amatorów prowadzone przez przewodników alpejskich posuwają się wzdłuż klasycznej trasy na Grand Teton, na której występuje odcinek o III stopniu trudności. Tylko garstka alpinistów próbuje wejść na te niekończące się, trudne granie lub współczesne trasy, wiodące po skałach i lodzie, który pokrywa prawie każdy zakątek góry. Wspaniała i dzika sceneria otacza tam widza ze wszystkich stron.

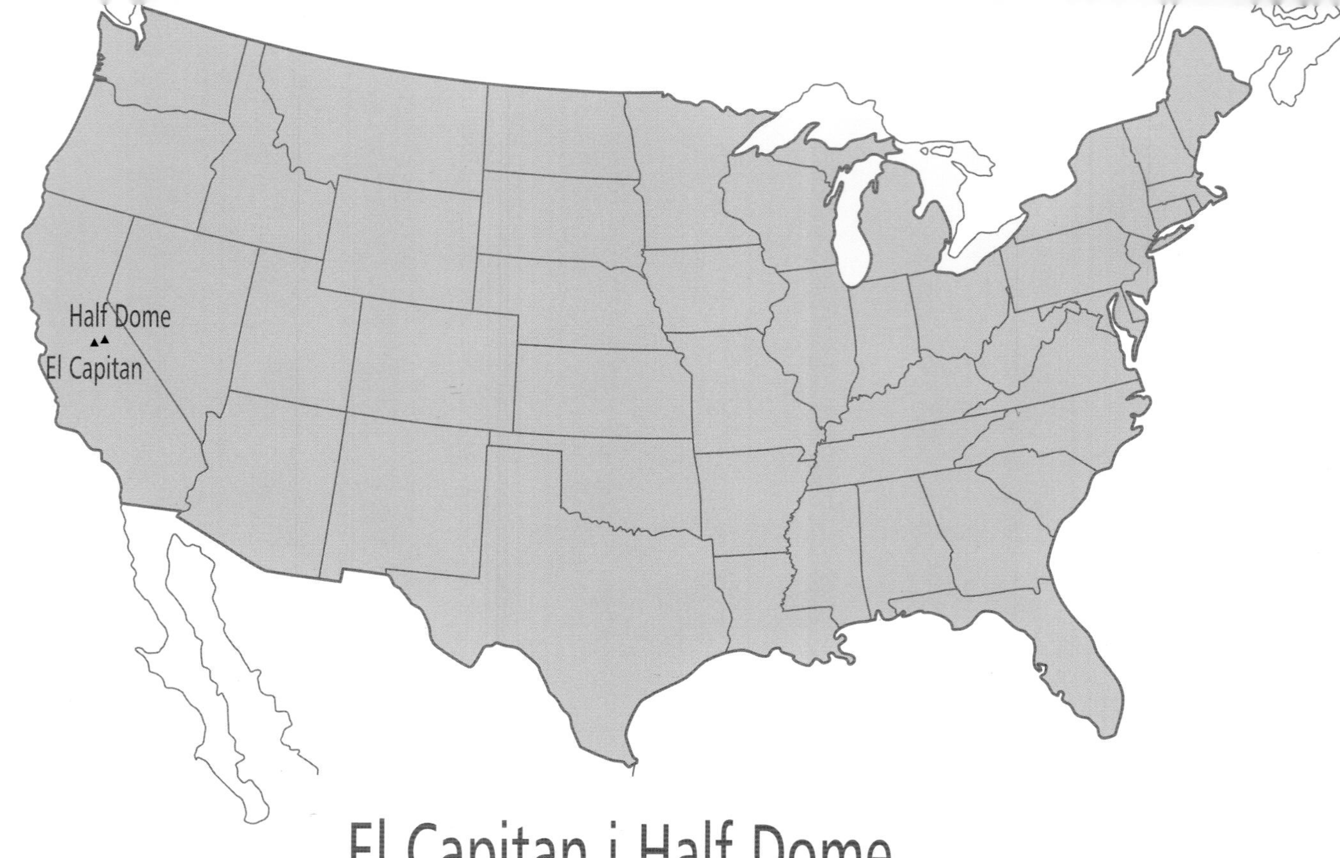

El Capitan i Half Dome

STANY ZJEDNOCZONE

Najbardziej strome i najtrudniejsze na świecie ściany granitowe wznoszą się w dolinie Yosemite, w sercu najsłynniejszego parku narodowego Ameryki. Yosemite, znana wśród podróżników ze swoich wodospadów, lasów, jezior i niedźwiedzi, jest najczęściej odwiedzaną doliną w High Sierras (granitowym paśmie górskim oddzielającym Kalifornię od pustyń Nevady) i od pół wieku przyciąga najlepszych alpinistów świata.

258. Dolina rzeki Merced, spalona słońcem w środku lata, w zimie staje się zimna i niegościnna. Śnieg i lód pokrywające występy skalne i wypełniające rozpadliny sprawiają, że wspinaczka na El Capitan oraz pobliskie ściany skalne staje się niemożliwa (górną część El Capitan widać na zdjęciu).

259. Od 1957 roku na północno-zachodniej ścianie Half Dome (ang. Półkopuła) otwarto wiele tras wspinaczkowych uważanych obecnie za klasyczne. Przez większość trasy Tis-sa-ack, którą w 1969 roku otwarli Royal Robbins i Don Peterson, trzeba wspinać się, korzystając z pomocy technicznych, natomiast przez dużą część trasy klasycznej można wchodzić bez wspomagania.

Idealnie pionowe ściany gór El Capitan, Half Dome, Cathedral Spires i innych okolicznych formacji zostały stworzone wskutek trwającego tysiące lat przesuwania się lodowca wzdłuż koryta rzeki Merced. Stanowią one zapierające dech widowisko dla turystów podróżujących samochodem, rowerem lub autobusem drogą prowadzącą dnem doliny i dla turystów pieszych, tłoczących się na wyznaczonych w parku szlakach. Jednak dla alpinistów Yosemite to gładkie płyty, szczeliny i wyzwania, jakie dzień po dniu stawiają surowe, pionowe ściany skalne.

W drugiej połowie XIX wieku John Muir, który odkrył Yosemite i High Sierras, mając niewiele ponad 30 lat, poświęcił resztę swojego życia na pokazywaniu światu ich piękna. Muir, Szkot z urodzenia, był niezmordowanym wędrowcem i miłośnikiem dzikiej przyrody, który następnie stał się pisarzem i walczącym obrońcą środowiska. Po dokonaniu pierwszych wejść na kilka szczytów doliny (w tym na Cathedral Peak w 1869 roku) rozsławił dziką przyrodę Zachodu w całej Ameryce i na świecie, walcząc o uratowanie skał, zwierząt i lasów przed coraz bardziej zaborczą działalnością człowieka. Ustanowienie Parku Narodowego Yosemite jest w dużej mierze jego zasługą.

Alpiniści zaczęli zajmować się granitowymi ścianami Sierras na początku lat 30. XX wieku i od razu zdali sobie sprawę, że ściany doliny Yosemite stanowią szczególne wyzwanie. Jules Eichorn, Dick Leonard i Bestor Robinson potrzebowali dwóch lat prób z wykorzystaniem haków i karabińczyków sprowadzonych specjalnie z Bawarii, zanim udało im się w 1934 roku zdobyć Higher Cathedral Spire, pierwszy szczyt doliny, na który dotarli ludzie.

Po drugiej wojnie światowej John Salathe – szwajcarski alpinista, który przeniósł się do Stanów Zjednoczonych, by opracować i produkować stalowe haki odpowiednie dla

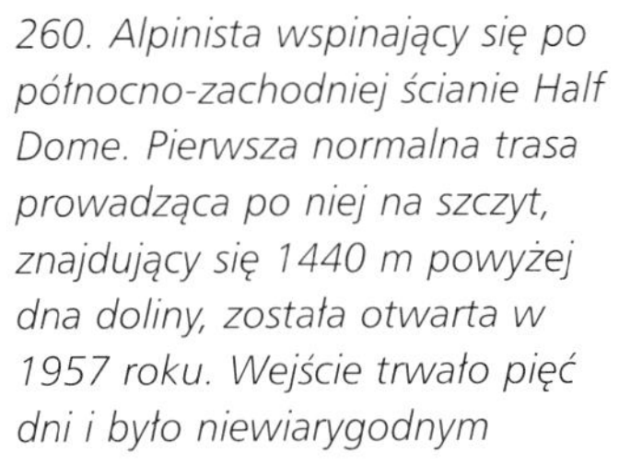

260. Alpinista wspinający się po północno-zachodniej ścianie Half Dome. Pierwsza normalna trasa prowadząca po niej na szczyt, znajdujący się 1440 m powyżej dna doliny, została otwarta w 1957 roku. Wejście trwało pięć dni i było niewiarygodnym wyczynem – pierwszą wspinaczką o VI stopniu trudności w Stanach Zjednoczonych.

261. Wspinacze wchodzą bez ułatwień technicznych na stromą północno-zachodnią ścianę Half Dome, na którą jako pierwsi weszli w 1957 roku Royal Robbins, Jerry Gallwas i Mike Sherrick. Pierwszego „czystego" wejścia dokonali 15 lat później Doug Robinson, Dennis Hennek i Galen Rowell, młody alpinista, który następnie został jednym z najwybitniejszych fotografów gór.

El Capitan i Half Dome

szczelin w skałach Yosemite (europejskie haki wykonywane są z miękkiej stali) – dokonał pierwszego wejścia na Lost Arrow, najpiękniejszy szczyt w dolinie, a następnie wszedł na stromą ścianę Half Dome. W 1957 roku Royal Robbins, Jerry Gallwas i Mike Sherrick dotarli na wierzchołek szczytu po stromej ścianie północno-zachodniej w ciągu pięciu dni.

Wyczynem, który rozsławił Yosemite, było pierwsze wejście na Nos, filar wysokości 1200 m rozdzielający El Capitan na dwie części. Po wielu próbach i tygodniach spędzonych na ścianie skalnej, Warren Harding, któremu początkowo towarzyszyli Bill Feuerer, Mike Powell i Wayne Merry, wreszcie zdobył Nos.

W następnych latach na El Capitan wyznaczono inne trasy, m.in. Salathe Wall, West Butress i North America Wall. Alpiniści, którzy je przetarli (w tym Royal Robbins, Chuck Pratta, Yvon Chouinard i Tom Frost), stali się bezspornymi mistrzami wspinaczki po granitowych skałach.

Później nastąpiły pierwsze wejścia dokonane samotnie i na czas, takie jak pierwsze wejście na Nos w czasie krótszym niż 24 godziny, dokonane w 1975 roku przez Jima Bridwella, Johna Longa i Billa Westbaya. Tymczasem surowy kodeks etyczny, hippisowski styl ubioru, swobodna bezpretensjonalność i mozolny trening stosowany przez alpinistów z Yosemite stały się sławne i zaczęły być naśladowane na całym świecie.

Dzisiaj grupy wspinające się powoli na El Capitan, tłumy turystów na najpopularniejszych szlakach i duży ruch na dnie doliny stanowią tylko jeden aspekt Yosemite. Za wielkimi ścianami skalnymi rozciągają się obszary bezludne, gdzie niedźwiedzie i jelenie mają więcej praw niż człowiek.

Popocatépetl I Ixtacihuatl

MEKSYK

Jeden z najsłynniejszych wulkanów na świecie wznosi się zaledwie kilkadziesiąt kilometrów od Meksyku, miasta posiadającego największą na świecie liczbę mieszkańców. Popocatépetl (5452 m) jest drugą pod względem wysokości górą Meksyku (najwyższa, Orizapa, ma wysokość 5700 m) i bez wątpienia najbardziej znaną. Nieco na północ od „El Popo" leży Ixtacihuatl, wygasły wulkan wysokości 5286 m. Park Narodowy Popo-Ixta obejmuje obszar 256 km^2 wokół obu szczytów. Znajdują się w nim lasy *oyamèl* (miejscowej jodły) i sosnowe, zamieszkałe przez jelenie wirginijskie, rysie amerykańskie i szczekuszki, które są gatunkiem zagrożonym. O ile wejście na najwyższy szczyt Ixtacihuatl – El Pecho nie jest szczególnie trudne, to grupy zmierzające na „El Popo" mogą wybierać między szlakami o różnej trudności. Ścieżka wijąca się od schroniska Tlamacas do krateru i stromych zboczy Gran Glaciar Norte stanowi świetną trasę wspinaczkową dla doświadczonych i dobrze wyposażonych ekip.

Starożytni mieszkańcy Meksyku dobrze znali wulkaniczny charakter tych gór. Rzeczywiście w języku Nahuatl, używanym przez Azteków, Popocatépetl znaczy „dymiąca góra". Chociaż w historii odnotowano 36 erupcji tego wulkanu, to milczał on przez prawie cały XX wiek. Jego przebudzenie w 1994 roku spowodowało, że władze meksykańskie zabroniły wspinania się na górę i ewakuowały tysiące ludzi mieszkających w pobliskich miastach. Według wulkanologów Popocatépetl znajduje się obecnie w fazie najwyższego od tysięcy lat natężenia aktywności.

Meksykańska „Góra Ognia" weszła po raz pierwszy do historii, gdy konkwistador Hernán Cortés napisał do króla Hiszpanii, że „osiem mil angielskich od tego miasta Cholua wznoszą się dwie wspaniale wysokie góry, których wierzchołki jeszcze pod koniec sierpnia są tak pokryte śniegiem, że nic na nich nie widać". Chcąc zrobić wrażenie na mieszkańcach Tlaxcala, Cortés posłał kilku żołnierzy, by wspięli się na górę. Kiedy trzy lata później oblegającym Azteków konkwistadorom kończył się proch strzelniczy, Cortés posłał inną drużynę na Popocatépetl, która zebrała tam 110 funtów siarki służącej do wyrobu prochu. O ile wejście na górę w celu zebrania siarki było doskonałym pomysłem, to chęć zaimponowania tubylcom wejściem na szczyt „El Popo" była stratą czasu. Istnieje inskrypcja w języku Nahuatl opisująca, jak pewien Chalchiuthzin z Amacemaca wszedł na górę w roku trzech trzcin (nasz 1289), archeolodzy zaś odkryli na zboczach wulkanu kilka świątyń.

262 u góry. Sylwetkę Ixtacihuatl tradycyjnie porównuje się do kobiety leżącej na plecach. Na zdjęciu, od prawej do lewej, widać szczyty Las Rodillas („Kolana"), La Barriga („Brzuch") i najwyższy El Pecho („Piersi"). Za El Pecho widać przełęcz El Cuello („Szyja") i szczyt La Cabeza („Głowa").

262 u dołu, 263 i 264–265. Spośród wielkich wulkanów Popocatépetl leży najbliżej stolicy. Pierwszego zejścia do krateru dokonano w 1523 roku, gdy konkwistador Hernán Cortés posłał tam swoich żołnierzy, by zebrali siarkę służącą do wyrobu prochu strzelniczego.

Ameryka Południowa

Najdłuższe pasmo górskie na świecie ciągnie się od Morza Karaibskiego do Tierra del Fuego. Andyjska kordyliera ciągnie się przez 8050 km od Wenezueli do Chile, tworząc dział wodny między dolinami schodzącymi w stronę Oceanu Spokojnego a tymi, które schodzą ku basenowi Amazonki i argentyńskim pampasom. Ustępująca pod względem wysokości tylko wielkim szczytom Azji Aconcagua (6960 m) jest najwyższym szczytem „reszty świata". Seria wielkich szczytów andyjskich zaczyna się od Sierra de Santa Marta w Kolumbii, której szczyty i lodowce otacza tropikalny las deszczowy. Dalej na wschód, w Wenezueli, Sierra de Mérida wznosi się nad błękitnymi wodami Karaibów, następnie na granicy między Wenezuelą, Gujaną i Brazylią znajdują się w otoczeniu amazońskiego lasu deszczowego dziwnie ukształtowane skaliste *tepuis*. Jedna z tych gór, Ayauntepui, jest miejscem, z którego wypływa wodospad Angela, najwyższy wodospad świata, którego wody spadają z wysokości 979 m.

Z kolei w Ekwadorze wznoszą się ogniste szczyty. Cotopaxi, Cayambe, Antisana, Tungurahua, Illiniza i inne wulkany, po których stromych zboczach spływają lodowce, otaczają Chimborazo. Przez długi czas Chimborazo (6310 m) uważane było za najwyższą górę świata. Chociaż na wiele ekwadorskich wulkanów wspinano się wielokrotnie, to nie są one wolne od niebezpieczeństw: ich periodyczna aktywność powoduje zalewanie lawą żyznych dolin u ich podnóży.

Śnieg jest główną atrakcją obszarów górskich między Peru a Boliwią, gdzie w Kordylierze Białej, Kordylierze de Huayhuash i odosobnionych masywach, wznoszących się nad jeziorem Titicaca i La Paz, znajdują się najpiękniejsze i najczęściej odwiedzane szczyty lodowe. Efektowne szczyty, takie jak Alpamayo, Yerupaja, Chopicalqui, Huandoy i Illimani, król boliwijskich Kordylierów, otaczają wierzchołek Mount Huascarán (6768 m), dachu Kordyliery Białej.

Łatwe do zdobycia samotne wulkany na granicy boliwijsko-chilijskiej poprzedzają najwyższą część Andów, której kulminacją jest Aconcagua (6960 m). Najwyższy szczyt obu Ameryk, o niezwykle stromej południowej ścianie, będący jedną z najwyższych gór świata, jest znany ze swojej łatwej trasy, która pozwala sprawnym i dobrze zaaklimatyzowanym turystom dotrzeć na wysokość 7010 m.

Najatrakcyjniejsze skalne szczyty Andów leżą znacznie dalej na południe. Większość z nich nie jest nawet w połowie tak wysoka jak Aconcagua. Mount Fitz Roy, Cerro Torre i Torres del Paine, znane wśród alpinistów całego świata, wznoszą się pośród płaskiego krajobrazu pampy i jej jezior ze swoimi granitowymi iglicami przekraczającymi wysokość 1000 m. U podnóży tych gór żyją rzadkie ptaki i pumy, ponad nimi szybują kondory, a burze znad Pacyfiku regularnie smagają ich skały i doliny. Za przylądkiem Horn oczekuje podróżników dzika przyroda Antarktydy.

266 z lewej. Chimborazo (6310 m) widać za Cotopaxi, wznoszącą się na wysokość 5897 m.

266 pośrodku. Trzy szczyty Torres del Paine, wznoszące się nad fiordami wybrzeża Pacyfiku, są najsłynniejszymi górami Patagonii.

266 z prawej. Promienie zachodzącego słońca oświetlają kruche rudawe skały zachodniej ściany Aconcagua (6960 m).

267. Cerro Torre, uważana przez wielu alpinistów za najpiękniejszy szczyt granitowy na świecie, osiąga wysokość 3102 m.

Cotopaxi i Chimborazo

EKWADOR

Która góra jest najwyższa na świecie? Pod koniec XVIII wieku, kiedy badacze i odkrywcy zaczęli zajmować się dużymi wysokościami, Europejczycy ciągle nie zdawali sobie sprawy, że najwyższe szczyty świata znajdują się w wielkich pasmach górskich Azji. Odkryte były już natomiast szczyty Andów. W 1744 roku francuska ekspedycja naukowa zmierzyła wysokość Chimborazo (6310 m) i podjęła pierwszą próbę wejścia na szczyt. W 1802 roku niemiecki przyrodnik Alexander von Humboldt w towarzystwie francuskiego botanika Aimé de Bonpland i Ekwadorczyka Carlosa Montúfara próbował wspiąć się na szczyt, docierając na wysokość 5878 m. Von Humboldt ukuł termin „Aleja Wulkanów" dla centralnej doliny Ekwadoru, wzdłuż której wznosi się około dwudziestu ziejących ogniem gór, w tym Cotopaxi (5897 m), Cayambe, Antisana i Illiniza. Nawet sam El Libertador, Simón Bolívar, odwiedził w 1822 roku podnóża Chimborazo. Lodowce, przecinane lawinami i porozdzierane wielkimi szczelinami sprawiają, że te góry są terenem zastrzeżonym jedynie dla doświadczonych alpinistów. Rzeczywiście, trzeba było czekać pięćdziesiąt lat na pierwsze wejście: w 1897 roku słynni alpiniści Edward Whymper i przewodnicy górscy z Matterhornu, Jean-Antoine i Louis Carrelowie zdobyli Chimborazo i dalsze osiem szczytów wulkanów. Natomiast siedem lat wcześniej Niemiec Wilhelm Reiss i Kolumbijczyk Angel M. Escobar dokonali pierwszego wejścia na Cotopaxi.

Wulkaniczne szczyty Ekwadoru przyciągają nie tylko alpinistów. Zapewniają niezwykły widok odwiedzającym centralną dolinę i stolicę kraju Quito. Ich erupcje często powodowały poważne straty. Lawa wypływająca z Cotopaxi wielokrotnie docierała do Latacunga, a nagłe przebudzenie Tungurahua, przez dziesięciolecia uważanego za niegroźny, spowodowało znaczne zniszczenia w okolicach Baños w latach 1998–1999. Łąki u podnóży Cotopaxi, objęte ochroną parku narodowego, goszczą stada wikunii (zwierzę przypominające lamę) i dziesiątki rzadkich gatunków ptaków. Często można spostrzec kondory, dużo rzadsze są pumy. Podobne widoki można zobaczyć na Chimborazo, który chroniony jest przez rezerwat przyrody. Dostęp na tereny powyżej linii śniegu jest zarezerwowany tylko dla alpinistów, których setki, wyposażonych w liny, czekany, haki lodowe i raki przybywają tu co roku. Wielu udaje się dotrzeć do szczytu, inni zaś zostają pokonani przez wysokość i szczeliny. Niewielu spośród tych alpinistów zdaje sobie sprawę, że twierdzenie Alexandra von Humboldta było przynajmniej częściowo słuszne: wskutek spłaszczenia kuli ziemskiej na biegunach szczyt Chimborazo jest najbardziej oddalonym od środka naszej planety punktem skorupy ziemskiej, mimo że jest o 2540 m niższy od Mount Everestu.

268. Przez ponad sto lat uważano, że Chimborazo o gargantuicznych proporcjach jest najwyższą górą świata. Szczyt, na który próbowali wejść w roku 1802 Alexander von Humboldt, Aimé de Bonpland i Carlos Montúfar został zdobyty w roku 1879 przez brytyjskiego alpinistę Edwarda Whympera z przewodnikami z Valle d'Aosta, Jean-Antoinem i Louisem Carrelem.

268–269. Chociaż Cotopaxi (5897 m) jest niższy w porównaniu z Chimborazo (6310 m), to wydaje się najbardziej efektowny wśród wulkanów Ekwadoru.

260 u dołu. Trasa prowadząca ze schroniska José Ribas do krateru Cotopaxi wije się zygzakami wśród lodowych ścian i rozwartych szczelin, które będąc zazwyczaj dobrze widoczne, nie stanowią szczególnego niebezpieczeństwa.

270–271. O ile Chimborazo dawno wygasł, to Cotopaxi jest ciągle aktywny i niebezpieczny. Z jego małego krateru, znajdującego się przy grani szczytowej, kilkukrotnie wypłynęła lawa, niszcząc miasto Latacunga oddalone o 35 km od góry.

Huascarán i Alpamayo

PERU

Szczyty Kordyliery Białej, najefektowniejsze w Andach, wznoszą się nad doliną Callejón de Huaylas i miastem Huarez w północnym Peru. Majestatyczny Huascarán (6768 m), czwarty pod względem wysokości szczyt obu Ameryk, otaczają wspaniałe lodowe szczyty, wśród nich Chacraraju, Chopicalqui i Huandoy. Jednak miano najbardziej efektownego szczytu całego pasma należy przyznać Alpamayo, który wznosi się na wysokość 5947 m, ale przed wzrokiem ludzi znajdujących się na dnie doliny zasłania go Nevado Santa Cruz. Park Narodowy Huascarán, największy w Peru, obejmuje obszar 3400 km^2. Znajdują się w nim 663 lodowce, 33 stanowiska archeologiczne, zamieszkuje 112 gatunków ptaków, 10 gatunków ssaków i rośnie 779 gatunków roślin. Wśród tych ostatnich jest *Puya raimondi*, gigantyczna bromelia rosnąca na wysokościach od 3810 do 4200 m, tworząca kolec składający się z 20 000 kwiatów. Jednak przyroda tych gór to nie tylko wielka różnorodność biologiczna i wspaniałe krajobrazy. Olbrzymie lawiny, schodzące z najwyższych szczytów, kilkukrotnie dotarły do dna doliny i tamtejszych wiosek. Podczas jednego tragicznego wydarzenia, które miało miejsce 31 maja 1970 roku, zostało zasypane miasteczko Yungay, przy czym zginęli prawie wszyscy jego mieszkańcy.

Historię wspinaczek w Kordylierze Białej zapoczątkowała wyjątkowa postać. W roku 1908 Ann Peck, amerykańska podróżniczka, sufrażystka i pionierka feminizmu z Rhode Island weszła na szczyt Huascarán Północny (6654 m) wraz z przewodnikami górskimi z Valaise, Peterem Taugwalderem i Gabrielem Zumtaugwaldem. Na zdobycie najwyższego szczytu trzeba było czekać do 1932 roku i ekspedycję zorganizowaną przez Niemiecki i Austriacki Klub Alpejski, podczas której E. Schneider, E. Hein, H. Hoerlin, W. Bernard, B. Lukas i E. Kinzl pod kierunkiem Philipa Borchersa weszli na kilka szczytów pasma, w tym Huascarán Sur. Kartograf Erwin Schneider sporządził używaną do dziś mapę Kordyliery Białej.

Po drugiej wojnie światowej, kiedy podróże do Ameryki Południowej stały się dostępne, zainteresowanie wielkimi szczytami peruwiańskimi wzrosło. Pierwszym alpinistą, który zakochał się w pokrytych lodem Kordylierach był Francuz Lionel Terray, który w latach 1952–1956 zdobył Huantsán, Taulliraju i Chacraraju Oeste. W 1966 roku inna wyprawa francuska, w której uczestniczyli R. Paragot, R. Jacob, C. Jaccoux

272 i 273. Alpamayo, którego wysokość (5947 m) nie czyni go jednym z andyjskich olbrzymów, jest uważany za jedną z najpiękniejszych gór świata, jak dowodzą tego te dwa zdjęcia (z lewej: góra widziana z północnego zachodu; z prawej: słynna ściana południowo-zachodnia).

274–275. Strzelista, krucha północna ściana Huascarán Północnego, którą wieńczą niebezpieczne półki lodowe, należy do najtrudniejszych w Kordylierze Białej. Pierwsze wejście na nią, którego dokonał w 1977 roku alpinista z Vicenzy Renato Casarotto, jest uważane za jeden z największych dokonanych w pojedynkę wyczynów wspinaczkowych wszystkich czasów.

i D. Leprince-Ringuet, wspięła się na północną ścianę Huascarán Północnego.

Pięć lat później amerykańska wyprawa wspięła się na niebezpieczną wschodnią ścianę Huascarán Sur. Jednak wyczyn tych alpinistów blednie w porównaniu z tym, czego dokonał Renato Casarotto, który w 1977 roku w ciągu 16 dni w pojedynkę otworzył drogę przez północną ścianę Huascarán Północnego. Rok później francuski alpinista Nicolas Jaeger przez 55 dni obozował na szczycie Huascarán w ramach projektu badań fizjologicznych.

Trzy lata wcześniej, w 1975 roku, wyprawa grupy alpinistycznej Ragni di Lecco pod kierunkiem Casimiro Ferrari, w której uczestniczyli Angelo Zoia, Danilo Borgonovo, Pino Negri, Giuseppe Castelnuovo i Alessandro Liati dokonała wejścia po południowo-zachodniej ścianie Alpamayo. Efektowność tej skalnej ściany i względna łatwość drogi wyznaczonej przez tę ekspedycję sprawiły, że stała się ona jedną z najpopularniejszych tras w Andach. W ostatnich latach najlepsi alpiniści słoweńscy, w tym Tomo Cesen i Pavle Kozjek, zostawili swoje ślady na ścianach Alpamayo i Huascarán, inne

zaś trio słoweńskie: B. Lozar, T. Petac i M. Kovac otworzyło nową i niebezpieczną trasę na Huascarán po ścianie Ancash, biwakując pięć razy.

Od początku lat 90. XX wieku wysiłki zakonu salezjanów i włoskich instruktorów wspinaczki w ramach Projektu Mato Grosso doprowadziły do zbudowania trzech schronisk (Ishinca, Huascarán i Peru), założenia szkoły wspinaczki i szkolenia przewodników górskich. Na dnie doliny w Chacas zbudowano również szpital. Większość dochodów schronisk przeznacza się na budowę domów dla biednych i starszych mieszkańców.

276–277. Szczyt Huascarán Północnego, nieco niższy od swojego południowego sąsiada, wznosi się na wysokość 6654 m. Został on zdobyty po raz pierwszy w 1908 roku przez Annie Peck z Rhode Island, której towarzyszyli szwajcarscy przewodnicy górscy, Peter Taugwalder i Gabriel Zumtaugwald.

Illimani

BOLIWIA

Szczyt uważany za króla boliwijskich gór wznosi się na wysokość 6457 m na horyzoncie stolicy kraju, La Paz. Jest to jeden z najczęściej odwiedzanych, pokrytych lodem i śniegiem szczytów Ameryki Łacińskiej. Illimani jest imponującą górą o skomplikowanej topografii. Należy do boliwijskiej Kordyliery Wschodniej, za którą płaskowyż tworzący centralną część kraju opada w kierunku wschodnim ku basenowi Amazonki.

Masyw wieńczy widoczna wyraźnie ze stolicy ośnieżona grań, której zachodnie, pokryte śniegiem i lodem zbocze opada stromo w dół. Najwyższym punktem tej grani jest Szczyt Południowy (6322 m), ale jest tu również Szczyt Środkowy (6362 m), Szczyt Północny (6380 m) i Pico del Indio (6130 m), długo znany jako Pico Paris, któremu po znalezieniu na nim fragmentu przedkolumbijskiej liny zmieniono nazwę.

Pierwszego wejścia na Illimani dokonał Brytyjczyk Sir Martin Conway, który dotarł w 1898 roku na szczyt razem z przewodnikami z Valtournenche, Antoinem Maquignazem i Louisem Pelissierem. Grupa weszła od strony wschodniej i osiągnęła szczyt wspinając się na Pico del Indio. Obecną, najbardziej popularną trasę przetarli w 1940 roku niemieccy alpiniści, R. Boetcher, F. Fritz i W. Kühn. Dziesięć lat później słynny alpinista niemiecki Hans Ertl dokonał pierwszego samotnego wejścia na główny szczyt i pierwszych wejść na Szczyt Środkowy i Szczyt Północny (razem z G. Schröderem). W 1958 roku pierwszego przejścia przez trzy szczyty dokonała również niemiecka ekipa.

Dopiero później alpiniści z innych krajów europejskich zaznaczyli swoją obecność w historii podboju Illimani. Była wśród nich wyprawa hiszpańska pod kierunkiem J. Monforta, grupa włoska Cosimo Zappelliego oraz wielki francuski specjalista wspinaczki lodowej Patrick Gabarrou, który w 1988 roku w pojedynkę otworzył trudną trasę przez południową ścianę góry. Jednak największym znawcą masywu jest inny Francuz, Alain Mesili, który przetarł kilka nowych szlaków, zarówno w pojedynkę, jak i z zespołem.

Chociaż Illimani dostarcza wielu możliwości wytyczania nowych dróg wspinaczki, to większość wypraw idzie trasą z 1940 roku, która zaczyna się przy kopalni Puente Roto i wymaga dwukrotnego biwakowania. Rozsądnie jest trzymać się z dala od ściany północnej, na której znajduje się wrak samolotu, który rozbił się w 1938 roku prawdopodobnie przewożąc złoto – żołnierze boliwijscy kilkakrotnie otwierali ogień do alpinistów, którzy zbliżyli się do miejsca wypadku.

278–279. Zbocza Illimani pokrywają budzące grozę lodowce. Szczyt Południowy (6322 m) wznosi się ze szczytowej grani razem ze Szczytem Środkowym (6362 m), Szczytem Północnym (6380 m) i Pico del Indio (6130 m).

279 u dołu. Tradycyjną trasą na Illimani, prowadzącą po zachodniej ścianie góry, zazwyczaj wchodzi się w trzy dni, z dwoma obozami przejściowymi. Na zdjęciu grupa alpinistów rozbiła obóz, mając w zasięgu wzroku najwyższy szczyt góry.

Illimani

280–281. Głównymi przeszkodami, jakie napotykają alpiniści w drodze na szczyt są, obok wysokości, ściany lodowe i ogromne szczeliny. Na zdjęciu widać lodowe wieże znajdujące się kilka metrów od trasy na górę, po której wspinają się każdego roku alpiniści z całego świata.

Aconcagua

ARGENTYNA

Ten andyjski olbrzym jest najwyższym szczytem Argentyny i obu Ameryk. Aconcagua (6960 m) jest jedyną górą, która sięga prawie 7000 m wysokości, położoną poza wielkimi pasmami Azji i najwyższym punktem na Ziemi na południe od równika i na półkuli zachodniej. Jej ogromna ściana południowa, po której czasami schodzą wielkie lawiny, ma wysokość 2,4 km i szerokość około 4,8 km, konkurując ze wschodnią ścianą Everestu i południową ścianą Annapurny o miano najwyższej i najmniej przyjaznej ściany skalnej na świecie. Jednak proste, pokryte rumowiskiem skalnym zbocza ściany zachodniej pozwalają co roku tysiącom alpinistów podejmować próby wejścia na szczyt. Niemniej jednak wysokość i zmęczenie fizyczne, z jakim związany jest ten wyczyn oznaczają, że tylko części z tej liczby udaje się wejść. Aconcagua jest widoczna z drogi łączącej argentyńskie miasto Mendoza z Santiago w Chile. Przywódca rewolucji José de San Martin przejechał obok niej w 1817 roku, Karol Darwin obserwował ją z daleka, a w 1897 roku zdobył ją wielki przewodnik z Monte Rosa Matthias Zurbriggen. Ściana południowa pozostała niezdobyta aż do 1952 roku, kiedy francuscy alpiniści René Ferlet, Lucien Bérardini, Adrien Dagory, Edmond Denis, Pierre Lesueur, Robert Paragot i Guy Poulet dokonali udanego wejścia. Następnie w 1974 roku wielki alpinista z Tyrolu Reinhold Messner w pojedynkę otworzył 1000-metrową wersję drogi francuskiej. W kolejnych dekadach zespoły z Francji, Argentyny i Słowenii wyznaczyły inne szlaki – wszystkie bardzo trudne.

Aconcagua przyciąga nie tylko alpinistów. Góra, która znajduje się pod ochroną parku o powierzchni 712 km^2, jest odwiedzana również przez pumy i kondory, gęsi i inne ptaki wędrowne zaś gromadzą się u wejścia do parku na lagunie Horcones. Wśród wysokogórskiej flory znajdują się rośliny zielne, sukulenty i różnorodne porosty. Inkaskie plemię Huarpes, wypędzone z Peru przez konkwistadorów Pizarra, osiedliło się w połowie XVI wieku u podnóży góry, którą nazwali Aconcáhuac, „kamienny strażnik" i pozostawiło dramatyczne ślady swojego okrutnego kultu góry na jej Zachodniej Grani.

W lecie 1985 roku dwóch alpinistów odkryło na wysokości 5500 m u stóp stromej ściany skalnej mumię dziewięcioletniego chłopca, który został zabity na miejscu albo związany i pozostawiony na pewną śmierć. Dzisiaj takie obrzędy wydają się niewiarygodnie okrutne, jednak dla wielu przedkolumbijskich ludów andyjskich złożenie w ofierze tego, co było najcenniejsze, uważane było za najlepszy sposób pozyskania opieki bogów.

282–283. Ogromna południowa ściana Aconcagua wysokości 2,4 km i szerokości około 4,8 km jest jedną z najwyższych i najbardziej efektownych ścian skalnych na świecie.

283 u dołu. Lodowe stalagmity Aconcagui i sąsiednich szczytów, chociaż wyglądające efektownie na zdjęciu, utrudniają wspinaczkę alpinistom i miłośnikom trekkingu. Te lodowe kolce sterczą z lodowca Horcones u stóp zachodniej ściany góry.

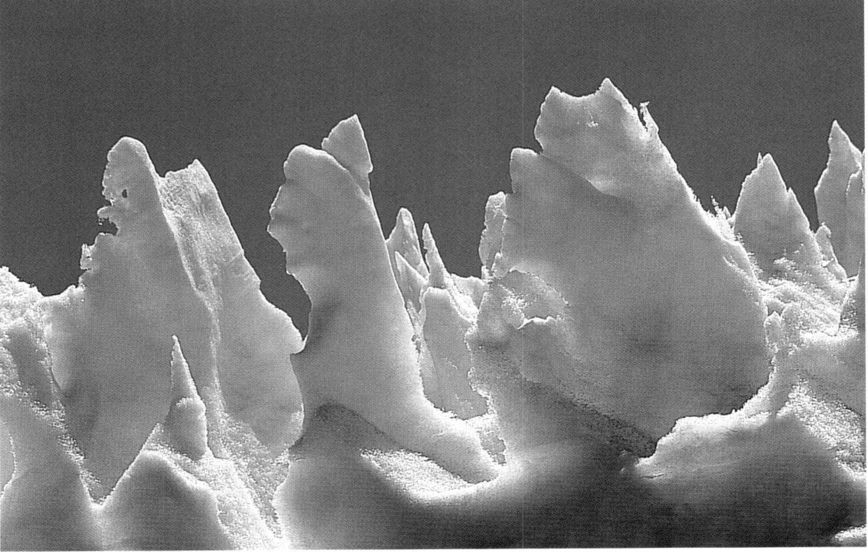

284–285. Najbardziej stroma część zachodniej ściany Aconcagui wznosi się nad Plaza de Mulas.

286–287. Na stromą, kruchą, skomplikowaną zachodnią ścianę Aconcagui, porysowaną głębokimi kuluarami, dokonano wejść po kilku trasach, z których prawie wszystkie zostały wyznaczone przez ekipy argentyńskie. Wielka wysokość bezwzględna i różnice wysokości dochodzące do 1525 m sprawiają, że trasy te stanowią znaczne wyzwanie nawet wobec braku innych szczególnych utrudnień.

288 u góry. Fantastyczny świat skał, lodowców, lasów bukowych i jezior istnieje w sercu Patagonii wokół Cerro Torre (widoczny z lewej strony zdjęcia) i szczytu Fitz Roy (z prawej).

288–289. Historię wspinaczek na Cerro Torre rozpoczyna tajemnica: wejście dokonane w 1959 roku przez pochodzącego z Trentino Cesare Maestri i TyrolczykaToni Eggera, podczas którego ten drugi stracił życie.

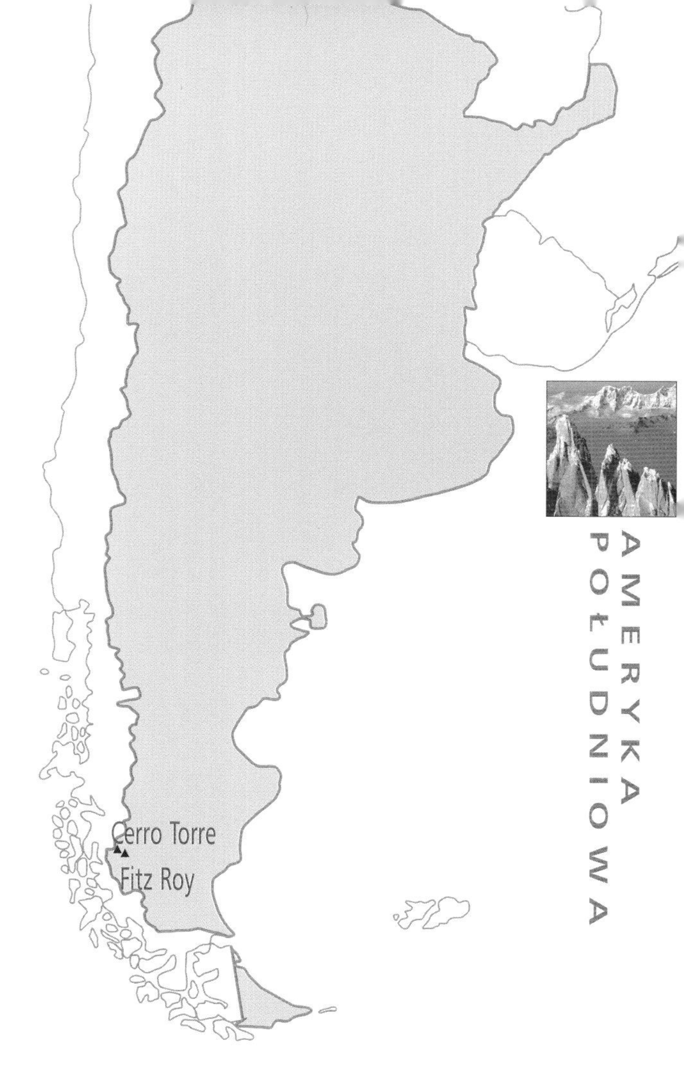

Cerro Torre i Fitz Roy

ARGENTYNA

Między lodami Hielo Patagonico Sur, stanowiącymi barierę zatrzymującą sztormy znad Oceanu Spokojnego, a spieczonym słońcem płaskowyżem ciągnącym się na wschód do Atlantyku, wznoszą się w argentyńskiej Patagonii dwie niezwykłe granitowe góry. Szczyt Fitz Roy (3375 m) i Cerro Torre (3102 m), znane wśród alpinistów całego świata, otacza las wież i iglic, takich jak Cerro Adela, Torre Egger, Cerro Standhardt, Aguja Poincenot i Cerro Piergiorgio. Od strony Atlantyku szczyty otacza wspaniały krajobraz, w którym lodowce Grande, Piedras Blancas i Marconi spływają w kierunku spalonych słońcem pastwisk i wiecznie smaganych wiatrami jezior. Ten obszar, razem z lodowcem Perito Moreno, znajduje się pod opieką Parku Narodowego Los Glaciares. Żyją tu kondory, pumy, guanaco (zwierzęta podobne do lam) i rhea (rhea, znana też jako nandu, jest ptakiem podobnym do strusia). Trasy prowadzą przez fantastyczne lasy, w których rosną takie gatunki buków patagońskich jak lenga (*Notofagus pumilio*) i nire (*Notofagus antarctica*).

Najwyższy szczyt Patagonii, chociaż był dobrze znany Indianom Tehulche, którzy nazywali go *Chaltén* („dymiąca góra"), został po raz pierwszy wspomniany w 1834 roku przez brytyjskiego przyrodnika Karola Darwina, który nadał jej imię Roberta Fitz Roya, kapitana HMS „Beagle", na pokładzie którego uczony odbywał swoją słynną podróż dookoła świata. Jednak tym, kto w latach 30. XX wieku jako pierwszy badał doliny i lodowce masywu, był ojciec Alberto Maria De Agostini, misjonarz salezjański i przyrodnik.

Pierwsi, pochodzący ze Skandynawii koloniści, którzy osiedlili się w okolicy, dojeżdżali do swoich *estancias* i przeprawiali się przez niebezpieczne rzeki, używając wozów konnych. Niektórzy z nich, np. Norweg Halvorsen i Duńczyk Andreas Madsen bardzo przyczynili się do badań tutejszej przyrody. Jednak początek dokonań alpinistycznych wśród granitowych szczytów Patagonii nastąpił dopiero w 1952 roku, kiedy Francuzi Lionel Terray i Guido Magnone weszli jako pierwsi na szczyt Fitz Roy.

Próby wejścia na Cerro Torre rozpoczęły się w 1958 roku, kiedy wyprawy z Trydentu i Lombardii spotkały się u stóp góry i każda z nich zdecydowała się wspinać po innej ścianie. Bruno Detassis, kierownik ekspedycji z Trydentu, zakazał swojemu zespołowi (do którego należał Cesare Maestri) wspinania się na Cerro Torre, ale Walter Bonatti i Carlo Mauri odważyli się wejść na pole lodowe Hielo, podjęli próbę wejścia po zachodniej ścianie, jednak zostali zmuszeni do poddania się. W 1959 roku Maestri wrócił z pochodzącym z Tyrolu alpinistą Toni Eggerem. Po wielu dniach zmagań z przeciwnościami i złą pogodą lawina spowodowała, że Toni Egger spadł i zabił się. Maestri również spadł wtedy na ostatniej podwójnej linie na lodowiec, na którym dwa dni później znalazł go Cesarino Fava. Po przyjściu do siebie Maestri opowiadał, jak to on i Egger dotarli do szczytu i jak lawina zmiotła jego towarzysza podczas zejścia. W ten sposób zapisał się w historii alpinizmu podbój Cerro Torre.

Jednak w następnych latach społeczność alpinistyczna coraz poważniej zaczęła kwestionować to wejście. W 1970 roku Maestri odpowiedział swoim krytykom, powracając do góry i opracowując nową trasę, wzdłuż której umocował setki nitów, zatrzymując się pod samym szczytem. W 1974 roku czterech członków grupy alpinistycznej Ragni di Leco (Casimiro Ferrari, Mario Conti, Daniele Chaiappa i Pino Negri) dotarli na szczyt od strony Hielo. Problem kwestionowanego wejścia przez Maestriego i Eggera wydawał się być rozwiązany w 2005 roku, kiedy Argentyńczyk Rolando Garibotti i Włosi Ermanno Salvaterra (który także dokonał pierwszego zimowego wejścia i wyznaczył kilka nowych tras) i Alessandro Beltrami poszli przypuszczalnym szlakiem z 1959 roku, nie znajdując żadnych śladów wcześniejszego przejścia.

Kontrowersja wokół wejścia Maestriego i Eggera często spycha na dalszy plan dziesiątki niezwykłych tras na Cerro Torre i szczyt Fitz Roy. Nawet na najkrótszej liście tras muszą się znaleźć takie jak Supercanaleta (1965), Szlak Kalifornijski (1968), szlak Cararotty na Filarze Północno-Północno-Wschodnim (1978) i El Corazón (1992) na Filarze Wschodnim szczytu Fitz Roy oraz Szlak Słoweński (1986) i Infinito Sud (1995), majstersztyk Ermanno Salvaterry na Cerro Torre. Każda z tych tras wymaga tygodni, miesięcy lub lat zmagań, ponieważ by wspinać się na szczyt Fitz Roy i Cerro Torre trzeba być alpinistą wielkiej klasy i być gotowym na znoszenie wielkich trudów.

290. Od strony zachodniej, zwróconej ku Chile, granitowe iglice Cerro Torre i pobliskich szczytów dominują nad lodowymi płaskowyżami Hielo Continental, największego pola lodowego na świecie poza regionami biegunowymi.

291. Wschodnia ściana Cerro Torre wysokości ok. 1000 m dominuje nad lodowcem i laguną Torre. Imponujące lodowe szczyty pasma Cordón Adela wznoszą się na południe (z lewej) od Cerro Torre.

292–293. W świetle wschodzącego słońca granitowe pasmo, którego kulminacyjnym punktem jest Cerro Torre (3102 m) i w którym są jeszcze Torre Egger (2987 m) i Cerro Standhardt (2650 m) wygląda jeszcze bardziej malowniczo.

Torres del Paine

CHILE

Silny wiatr znad Pacyfiku nieustannie głaszcze najpiękniejsze szczyty chilijskiej Patagonii, wznoszące się ponad jeziora Grey, Sarmiento, Nordenskjöld i Pehoé między fiordami Puerto Natales i granicą argentyńską. „Najwspanialsza grupa gór i szczytów Cordillery Patagońskiej" – w ten sposób salezjanin ojciec Alberto Maria De Agostini, który był wielkim znawcą Patagonii i zapalonym alpinistą, opisał w 1943 roku masyw Torres del Paine. Ktoś, kto zbliża się od strony pampy i granicy zobaczy, zanim ujrzy trzy granitowe wieże Południową, Centralną i Północną w sercu masywu, wieńczące je pokryte śniegiem i lodem szczyty. Lodowce, żleby i ośnieżone gzymsy sprawiają, że Paine Grande i Cerro Bariloche przypominają sześciotysięczniki Andów Peruwiańskich. Dziwaczne sylwetki Cuernos wyróżniają się na tle jeziora Pehoé. By dotrzeć do stóp Wieży Południowej (2500 m), Wieży Środkowej (2460 m) i Wieży Północnej (2260 m), wznoszących się nad piaszczystymi płaskowyżami i lodowcami, trzeba wspiąć się w górę doliny Rio Ascencio, porośniętej gęstymi lasami bukowymi. Zgodnie z tym, co pisze ojciec De Agostini, alpiniści włoscy byli pierwszymi, którzy wspięli się na te szczyty. W 1957 roku pięciu przewodników z Val d'Aosta dokonało pierwszego wejścia na Paine Grande, natomiast sześć lat później, w roku 1963 Brytyjczycy Chris Bonington i Don Whillans wyprzedzili ekspedycję z Trydentu i Lombardii w wyścigu na szczyt Wieży Centralnej, najsmuklejszej z trzech. Kilka tygodni później Armando Aste, Vasco Taldo, Josve Aiazzi, Carlo Casari i Nando Nusdeo zrewanżowali się, zdobywając Wieżę Południową, którą poświęcili księdzu De Agostini. W następnych latach zespoły z Argentyny, Chile, Nowej Zelandii i Stanów Zjednoczonych wyznaczyły inne wspaniałe trasy. Niezwykły krajobraz wokół masywu znajduje się pod ochroną Parku Narodowego Torres del Paine o powierzchni 1813 km^2. Wiatr znad Pacyfiku gna góry lodowe odłamujące się od lodowca Grey w kierunku brzegów jeziora o tej samej nazwie. W najbardziej osłoniętych dolinach rosną bajkowe gęste lasy bukowe (buki południowe znane w Argentynie i Chile jako lenga). Na smaganych wiatrami łąkach żyją małe stada guanaco i szybkich, przypominających strusie rhea (znane również jako *nandu*), na piaszczystym gruncie można zauważyć ślady pumy, a na niebie szybują kondory. Jak napisał Pablo Neruda: „Nikt, kto nie był w chilijskim lesie nie może powiedzieć, że zna tę planetę".

294. Błękitne góry lodowe pływają po jeziorze Grey, jednym z wielu jezior Parku Narodowego Torres del Paine. Jezioro, do którego wpływa lodowiec o tej samej nazwie, dochodzi bezpośrednio do wschodniego krańca masywu.

295. Paine Grande (3050 m), leżące w zachodnim krańcu masywu, stanowi najwyższy punkt tej grupy gór. Wskutek częstych burz nawiedzających ten region góra ta rzadko bywa całkowicie oświetlona promieniami słońca.

296–297. Masyw Torres del Paine (od lewej: Wieża Południowa, 2500 m; Wieża Środkowa, 2460 m i Wieża Północna, 2260 m) może pochwalić się najpiękniejszymi granitowymi szczytami w chilijskiej Patagonii.

298–299. Dominujące nad najczęściej odwiedzaną częścią Parku Narodowego Torres del Paine ściany grupy Cuernos del Paine są ukształtowane u podstawy z granitu, a w wyższych partiach z ciemnej skały wulkanicznej.

INDEKS

p=podpis

FOTOGRAFIE

Aisa: strony 29, 127 dół
Patrick Aventurier/Gamma/Contrasto: strony 112–113
O. Alamany & E. Vicens/CORBIS: strona 28 góra
Alamy Images: strony 22, 22–23, 23, 117, 138, 154–155, 158–159, 160–161, 263
Theo Allofs/Corbis: strony 288–289
Giulio Andreini: strony 284–285
Stefano Ardito: strony 66 góra, 123, 169, 173, 176–177, 264–265, 283
Jon Arnold/Sime/Sie: strony 196–197, 198–199
Antonio Attini/Archivio White Star: strony 94, 94–95, 95, 132, 249
Tolo Balaguer/Agefotostock/Marka: strony 164–165
Daryl Balfour/Nhpa: strona 105
Chris Barton/Lonely Planet Images: strona 112 góra
Marcello Bertinetti/Archivio White Star: strony 2–3, 11, 16 lewa, 17, 36, 36–37, 38, 38–39, 42–43, 43, 44, 48 lewa i prawa, 49, 50–51, 51, 54–55, 55 dół, 66 dół, 67, 68, 68–69, 69, 70–71, 81 góra i dół, 86, 88 góra, środek, dół, 88–89, 89, 104 lewa, 119, 120–121, 164, 166–167, 228 lewa, 274–275
Hartmut Bielefeldt: strony 136 góra, 137
Anders Blomqvist: strony 131, 180–181, 182–183
Andrea Bonetti/NHPA/Photoshot: strona 102 góra
Paola Bronstein/GettyImages: strony 148–149
Carolyn Brown: strona 228 prawa
Michele Burgess/Corbis: strony 126–127
Mark Buscail: strony 16 pośrodku, 30 góra, 46–47, 116 dół, 140
Pablo Galán Cela/Agefotostock/Marka: strony 181, 185 lewa
Jonathan Chester: strony 150–151, 174 góra
Régis Colombo: strony 108–109
Mario Colonel: strony 40–41, 62–63, 204–205
Lynley Cook/Hedgehog House: strony 200–201
Guy Cotter/Hedgehog House: strony 144–145
Manrico Dell'Agnola: strona 290
Dex Image/Corbis: strony 208–209
Grant Dixon/Hedgehog House: strony 6, 192–193, 236, 273
Grant Dixon/Lonely Planet Images: strona 104 prawa
Cornelia Dörr: strony 78–79, 298–299
Nevio Doz/Marka: strony 100–101
Olimpio Fantuz/Sime/Sie: strony 76–77
Kevin Fleming/Corbis: strony 230–231
Janet Foster/Masterfile/Sie: strona 240 dół
Jeff Foott/Auscape: strony 256–257
Free Agents Limited/Corbis: strona 208
Geoff Gabites/Hedgehog House: strony 142–143
Nick Garbutt/Nature Picture Library/Contrasto: strony 212–213
Bertrand Gardel/Hemis.fr: strona 262 góra
Ed Gifford/Masterfile/Sie: strona 229
Didier Givois: strona 55 góra
Alessandro Gogna/K3 Photo: strony 30 dół, 60, 130 lewa, 141, 152–153, 157, 174–175
Francois Gohier/Ardea: strona 268
Nick Groves/Hedgehog House: strony 130 pośrodku, 218 dół, lewa
Franck Guiziou/Hemis.fr: strona 147
Heliceaviacion.com: strony 26 góra i dół, 27
Johanna Huber/Sime/Sie: strony 73, 80–81, 82–83
Image 2d.com: strony 126, 127 góra, 172–173, 184–185
Image Plan/Corbis: strona 209
Karen Kasmauski/GettyImages: strony 210–211
Kevinschafer.com: strona 7
Harry Kikstra/ 7summits.com: strona 225
Earl & Nazima Kowall/CORBIS: strona 203
J.A.Kraulis/Masterfile/Sie: strony 194–195, 244, 244–245
Christos Lambris: strony 102 dół, 102–103, 216, 226 gora i dół, 226–227
M.Lanini/Panda Photo: strona 215
Frans Lanting/Corbis: strona 118
Lester Lefkowitz/Corbis: strona 255
Danny Lehman/Corbis: strona 231
Manuel Lugli/Il Nodo Infinito: strony 124 góra, 165, 185 prawa, 186–187
Jef Maion: strony 96–97
Alberto Majrani: strony 90, 114, 116 góra, 146, 146–147, 262 dół, 266 prawa
Don Mason/Brand X/Corbis: strony 234–235
Marco Milani/K3 Photo: strony 31, 33, 34–35, 45, 50, 52–53, 53, 60–61, 64–65, 65, 80, 84, 84–85, 92–93, 93 góra, pośrodku i dół, 291, 296–297
Colin Monteath/Agefotostock/Contrasto: strony 12–13
Colin Monteath/Agefotostock/Marka: strona 155
Colin Monteath/Auscape: strony 4–5, 206–207, 217, 267, 288
Colin Monteath/Hedgehog House: strony 162–163, 220–221, 294, 295
Warren Morgan/Corbis: strony 188–189
Kevin R.Morris/Corbis: strony 254–255
Fritz Mueller Photography: strony 240 góra, 242–243
Marc Muench/Corbis: strony 254, 259
Francesc Muntada/Corbis: strona 266 pośrodku
Alberto Nardi/NHPA/Photoshot: strona 64
Alberto Nardi/Panda Photo: strony 74–75
Paul Newman/Lonely Planet Images: strona 232
Magnus Nilsson: strony 140–141
John Noble/Corbis: strona 124 pośrodku i dół
Kazuyoshi Nomachi/Corbis: strony 128–129
Paul Nopper/Aiva: strony 237, 238–239
Jake Norton/Mountain World Productions: strona 193
Ned Norton/Hedgehog House: strony 222–223
Oxford Scientif: strona 228 pośrodku
Matthieu Paley/Corbis: strony 214–215
Pat Parsons/Sime/Sie: strony 124–125
Gianni Pasinetti/K3Photo: strony 282–283, 286–287
David Pike/Nature Picture Library/Contrasto: strona 130 prawa
G.Pollini/Panda Photo: strona 77
Christophe Profit/K3 Photo: strona 10
Luciano Ramires/Archivio White Star: strony 32 góra i dół, 32–33
Roger Ressmeyer/Corbis: strony 248–249
Ian Rybak: strony 136–137, 138–139, 139 góra i dół, 278–279, 279, 280–281
René Robert: strony 18 góra i dół, 18–19, 20, 20–21, 21 góra i dół
Paul Rogers/Hedgehog House: strona 218 góra
Royalty-Free/Corbis: strona 152
Dag Røttereng/www.Naturfotograf.no: strony 16 prawa, 24–25
Galen Rowell/Corbis: strony 9, 161, 172, 174 dół, 178–179, 202, 261, 266 lewa, 270–271, 292–293
Galen Rowell/Mountain Light: strony 160, 168, 170–171, 190–191, 233, 258, 260, 272, 276–277
Alessandro Saffo/Sime/Sie: strony 98–99
Lenard Sanders/Agefotostock/Marka: strony 246–247
Ron Sanford/Corbis: strony 14–15
Kevin Schafer/Corbis: strony 218 dół prawa, 269
Giovanni Simeone/Sime/Sie: strona 248
Janez Skok: strony 90–91
Richard Hamilton Smith/Corbis: strona 219
Christof Sonderegger: strona 61 dół
Dick and Pip Smith/Hedgehog House: strony 202–203
TodoVertical: strona 28 dół
Stefano Torrione: strona 136 dół
Francesco Tremolada: strona 1
S. Vannini/Panda Photo: strona 72
Pablo Corral Vega/Corbis: strony 268–269
Van de Vel/Reporters: strona 112 dół
Fabiano Ventura – www.fabianoventura.it: strony 151, 156
Giulio Veggi/Archivio White Star: strony 133, 134–135
Mario Verin: strony 104 pośrodku, 106–107, 107
Alessandro Villa/Marka: strony 87 góra i dół
Marco Volken: strony 52 dół, 56 góra i dół, 57, 58–59
JW/Masterfile/Sie: strona 245
John Warburton-Lee/Danita Delimont.com: strony 122–123
Jim Wark: strony 250–251, 252–253
Adrian Warren/Lastrefuge.co.uk: strony 110–111
S.Wilby & C.Ciantar/Auscape: strony 114–115, 115
Gordon Wiltsie/GettyImages: strony 224–225
WildCountry/Corbis: strona 174 pośrodku
Brad Wrobleski/Masterfile/Sie: strona 241
Günter Ziesler: strony 91, 122